Gisela Specht

Juliane Forßmann

Bildwörterbuch Deutsch

Die 1.000 wichtigsten Wörter in Bildern erklärt

Hueber Verlag

6. 5. 4.   Die letzen Ziffern
2017 16 15 14 13 bezeichen Zahl und Jahr des Druckes.
Alle Drucke dieser Auflage können, da unverändert,
nebeneinander benutzt werden.
1. Auflage
© 2010 Hueber Verlag, 85737 Ismaning, Deutschland
Umschlagfoto: © Getty Images/Brand X
Zeichnungen: Gisela Specht
Redaktion: Juliane Forßmann, Hueber Verlag (Ismaning)
Layout: Sarah-Vanessa Schäfer, Hueber Verlag (Ismaning)
Druck und Bindung: Himmer AG, Augsburg
Printed in Germany
ISBN 978–3–19–007921–6

Inhaltsangabe

Liebe Kursleiter, liebe Helfer,

das *Bildwörterbuch Deutsch* enthält rund 1.000 wichtige und frequente Wörter aus dem Alltag. Es eignet sich für Anfänger ohne oder mit geringen Vorkenntnissen und lässt sich im Selbststudium und im Kursunterricht gut nutzen.

Der Wortschatz der Niveaustufe A1 ist komplett in Bild und Schrift abgedeckt. So hilft die Arbeit mit dem Wörterbuch auch bei der Prüfungsvorbereitung zum Goethe-Zertifikat A1 / Start Deutsch 1.

Bei der Entwicklung dieses Werkes wurden besonders die Bedürfnisse bei der Alphabetisierung bedacht:

- große und serifenlose Schrift
- Darstellung des Begriffs sowohl in seiner zusammenhängenden Form als auch in seine Silben aufgetrennt
- doppelte Schreiblinien für Schreibübungen
- freundliche, auch für Erwachsene geeignete Zeichnungen
- alltagsbezogene Themen

Im hinteren Teil des Buches befindet sich eine alphabetische Auflistung aller Stichwörter mit Übersetzungen in sieben Sprachen (Englisch, Französisch, Italienisch, Polnisch, Russisch, Türkisch und Spanisch). So kann das Buch auch von alphabetisierten Deutschlernenden genutzt werden. Sie können Begriffe gezielt suchen und nachschlagen.

Mit der Vermittlung folgender Informationen, können Sie die Kursteilnehmer und Lernenden gut unterstützen:

Jedes Stichwort kann man sich online unter **http://www.hueber.de/woerterbuch/online/** anhören.

Geben Sie das Wort ein und klicken Sie auf „Suchen".   Jetzt klicken Sie auf das Lautsprechersymbol.

Für alle Stichwörter gibt es kostenfreie Audiodateien unter **http://www.hueber.de/audioservice**.

Das Bildwörterbuch gewährt Einblicke in den deutschen Alltag einer Familie. Die Familie Weber, die hier kurz vorgestellt wird, begleitet Sie durch das Wörterbuch:

Nomen (Hauptwörter)

Nomen sind immer rot markiert.

Sie werden mit dem Artikel dargestellt.

Das Stichwort wird zusätzlich mit getrennten Silben aufgeführt

die Ananas

Ana·nas [Nomen] <Ananas, Ananasse>

Die Pluralform (Mehrzahl), sofern diese üblich ist, wird angegeben.

Manchmal gibt es eine zweite Pluralform.

Zur Übung können Sie das Stichwort auf die Linien schreiben

Ist das Stichwort selbst ein Plural (z. B. Lebensmittel), steht dort als Vermerk *Plural*.

Existiert eine männliche und eine weibliche Form, wie bei den Berufen, sind diese durch das Männlichkeits- ♂ und Weiblichkeitszeichen ♀ gekennzeichnet.

Verben (Tätigkeitswörter)

Verben sind immer orange markiert.

Bei reflexiven Verben steht das reflexive sich vor dem Infinitiv (Grundform).

In der Silbenansicht werden Präfixe (Vorsilben) mit einem vertikalen Balken abgetrennt.

sich ausziehen

sich aus|zie·hen [Verb] <zieht sich aus, zog sich aus, hat sich ausgezogen>

In den Spitzklammern werden die Formen der dritten Person Singular (er, sie, es) für Präsens (Gegenwart), Präteritum (Vergangenheit) und Perfekt (vollendete Gegenwart, Vergangenheit) angegeben.

Adjektive (Eigenschaftswörter)

Adjektive sind immer grün markiert.

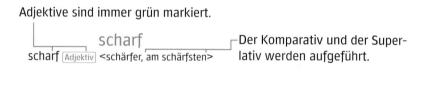

scharf

scharf [Adjektiv] <schärfer, am schärfsten>

Der Komparativ und der Superlativ werden aufgeführt.

Adverbien (Umstandswörter)

Adverbien sind immer violett markiert.

draußen

drau·ßen [Adverb]

„Kleine Wörter"

Zu dieser Gruppe gehören Artikel, Präpositionen (Verhältniswörter, Lagewörter) Pronomen (Fürwörter), Zahlwörter, Partikel (kleine Wörter, die nicht gebeugt werden und weder Adverb noch Präposition sind). Sie sind immer schwarz markiert.

neben

ne·ben [Präposition]

Wir wünschen Ihnen viel Freunde mit Ihrem Bildwörterbuch!

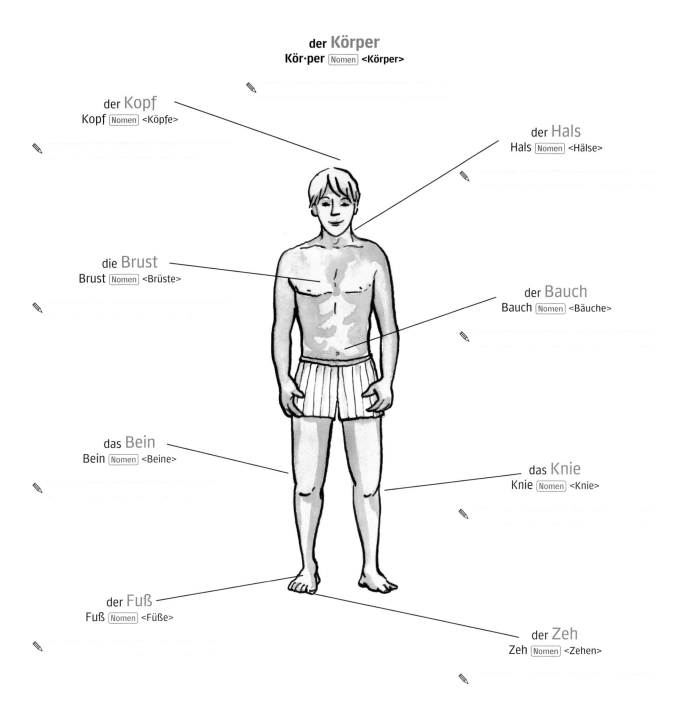

der Körper
Kör·per [Nomen] <Körper>

der Kopf
Kopf [Nomen] <Köpfe>

der Hals
Hals [Nomen] <Hälse>

die Brust
Brust [Nomen] <Brüste>

der Bauch
Bauch [Nomen] <Bäuche>

das Bein
Bein [Nomen] <Beine>

das Knie
Knie [Nomen] <Knie>

der Fuß
Fuß [Nomen] <Füße>

der Zeh
Zeh [Nomen] <Zehen>

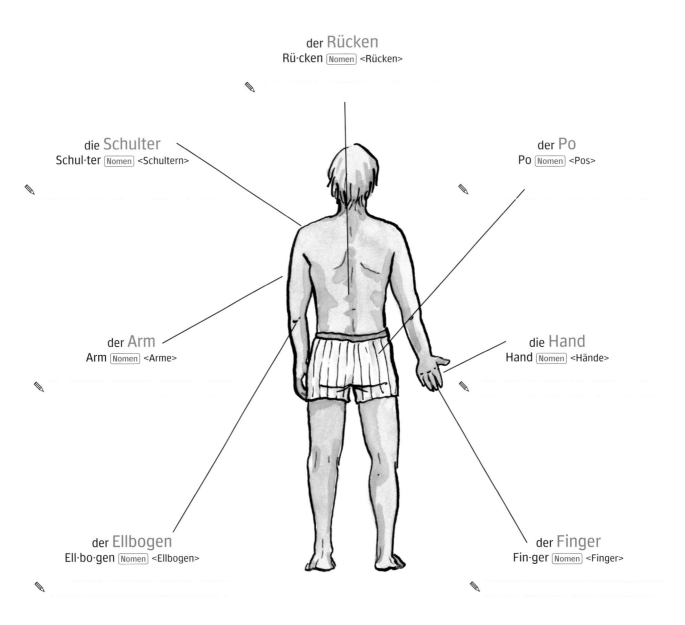

der Rücken
Rü·cken [Nomen] <Rücken>

die Schulter
Schul·ter [Nomen] <Schultern>

der Po
Po [Nomen] <Pos>

der Arm
Arm [Nomen] <Arme>

die Hand
Hand [Nomen] <Hände>

der Ellbogen
Ell·bo·gen [Nomen] <Ellbogen>

der Finger
Fin·ger [Nomen] <Finger>

das Gesicht
Ge·sicht [Nomen] <Gesichter>

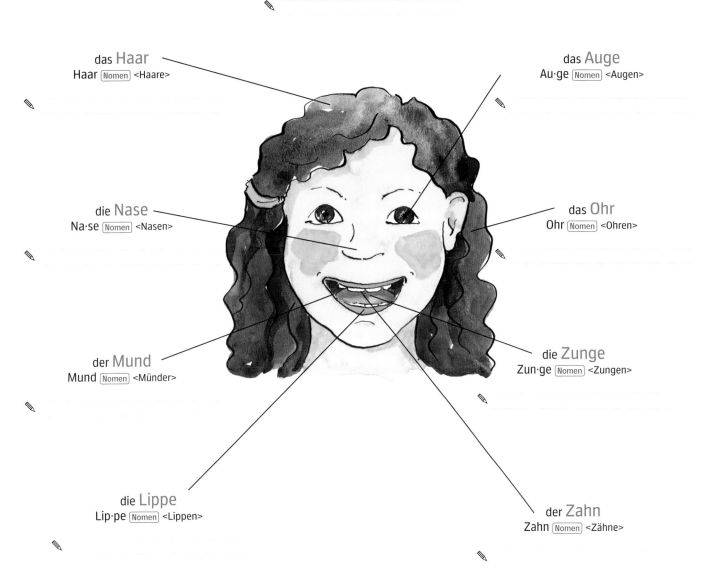

das Haar
Haar [Nomen] <Haare>

das Auge
Au·ge [Nomen] <Augen>

die Nase
Na·se [Nomen] <Nasen>

das Ohr
Ohr [Nomen] <Ohren>

der Mund
Mund [Nomen] <Münder>

die Zunge
Zun·ge [Nomen] <Zungen>

die Lippe
Lip·pe [Nomen] <Lippen>

der Zahn
Zahn [Nomen] <Zähne>

duschen
du·schen Verb <duscht, duschte, hat geduscht>

baden
ba·den Verb <badet, badete, hat gebadet>

die Seife
Sei·fe Nomen <Seifen>

das Shampoo
Sham·poo Nomen <Shampoos>

das Handtuch
Hand·tuch Nomen <Handtücher>

die Zahnbürste
Zahn·bürs·te Nomen <Zahnbürsten>

die Zahnpasta
Zahn·pas·ta Nomen <Zahnpastas, Zahnpasten>

die Creme
Creme Nomen <Cremes>

sich kämmen
sich käm·men Verb <kämmt sich, kämmte sich, hat sich gekämmt>

sich rasieren
sich ra·sie·ren [Verb] <rasiert sich, rasierte sich, hat sich rasiert>

gesund
ge·sund [Adjektiv] <gesünder, am gesündesten>

krank
krank [Adjektiv] <kränker, am kränksten>

tot
tot [Adjektiv]

der Schmerz
Schmerz [Nomen] <Schmerzen>

das Fieber
Fie·ber [Nomen]

das Blut
Blut [Nomen]

das Pflaster
Pflas·ter [Nomen] <Pflaster>

das Medikament
Me·di·ka·ment [Nomen] <Medikamente>

die Tablette
Tab·let·te [Nomen] <Tabletten>

der Arzt
Arzt [Nomen] <Ärzte> ♀ **die** Ärztin
Ärz·tin <Ärztinnen>

die Krankenschwester
Kran·ken·schwes·ter [Nomen]
<Krankenschwestern>

♂ **der Patient**
Pa·ti·ent [Nomen] <Patienten> ♀ **die** Patientin
Pa·ti·en·tin <Patientinnen>

die Versichertenkarte
Ver·si·cher·ten·kar·te [Nomen]
<Versichertenkarten>

die Praxis
Pra·xis [Nomen] <Praxen>

das Krankenhaus
Kran·ken·haus [Nomen] <Krankenhäuser>

der Krankenwagen
Kran·ken·wa·gen [Nomen] <Krankenwagen>

die **Kleidung**
Klei·dung [Nomen]

die **Hose**
Ho·se [Nomen] <Hosen>

der **Rock**
Rock [Nomen] <Röcke>

das **Kleid**
Kleid [Nomen] <Kleider>

die **Bluse**
Blu·se [Nomen] <Blusen>

das **Hemd**
Hemd [Nomen] <Hemden>

der **Anzug**
An·zug [Nomen] <Anzüge>

die **Krawatte**
Kra·wat·te [Nomen] <Krawatten>

das **Kostüm**
Kos·tüm [Nomen] <Kostüme>

der Pullover
Pul·lo·ver [Nomen] <Pullover>

die Weste
Wes·te [Nomen] <Westen>

das T-Shirt
T-Shirt [Nomen] <T-Shirts>

die Jeans
Jeans [Nomen] <Jeans>

die Jacke
Ja·cke [Nomen] <Jacken>

der Mantel
Man·tel [Nomen] <Mäntel>

die Mütze
Müt·ze [Nomen] <Mützen>

der Handschuh
Hand·schuh [Nomen] <Handschuhe>

der Schal
Schal [Nomen] <Schals, Schale>

der Gürtel
Gür·tel [Nomen] <Gürtel>

der Schuh
Schuh [Nomen] <Schuhe>

der Stiefel
Stie·fel [Nomen] <Stiefel>

der Strumpf
Strumpf [Nomen] <Strümpfe>

das Unterhemd
Un·ter·hemd [Nomen] <Unterhemden>

die Unterhose
Un·ter·ho·se [Nomen] <Unterhosen>

der Unterrock
Un·ter·rock [Nomen] <Unterröcke>

sich ausziehen
sich aus|zie·hen [Verb] <zieht sich aus, zog sich aus, hat sich ausgezogen>

sich anziehen
sich an|zie·hen [Verb] <zieht sich an, zog sich an, hat sich angezogen>

der Hunger

Hun·ger Nomen

essen

es·sen Verb <isst, aß, hat gegessen>

satt

satt Adjektiv <satter, am sattesten>

der Durst

Durst Nomen

trinken

trin·ken Verb <trinkt, trank, hat getrunken>

das Frühstück

Früh·stück Nomen <Frühstücke>

frühstücken

früh·stü·cken Verb <frühstückt, frühstückte, hat gefrühstückt>

das Mittagessen
Mit·tag·es·sen [Nomen] <Mittagessen>

das Abendessen
Abend·es·sen [Nomen] <Abendessen>

die Lebensmittel
Le·bens·mit·tel [Nomen] *Plural*

die Butter
But·ter [Nomen]

der Käse
Kä·se [Nomen] <Käse>

die Wurst
Wurst [Nomen] <Würste>

das Ei
Ei [Nomen] <Eier>

das Mehl
Mehl [Nomen]

der Pfeffer
Pfef·fer [Nomen]

das Salz
Salz [Nomen] <Salze>

der Zucker
Zu·cker [Nomen]

das Obst
Obst [Nomen]

der Apfel
Ap·fel [Nomen] <Äpfel>

die Birne
Bir·ne [Nomen] <Birnen>

die Orange
Oran·ge [Nomen] <Orangen>

die Traube
Trau·be [Nomen] <Trauben>

die Banane
Ba·na·ne [Nomen] <Bananen>

die Zitrone
Zit·ro·ne [Nomen] <Zitronen>

die Ananas
Ana·nas [Nomen] <Ananas, Ananasse>

die Kirsche
Kir·sche [Nomen] <Kirschen>

die Pflaume
Pflau·me [Nomen] <Pflaumen>

die Aprikose
Ap·ri·ko·se [Nomen] <Aprikosen>

die Erdbeere
Erd·bee·re [Nomen] <Erdbeeren>

die Himbeere
Him·bee·re [Nomen] <Himbeeren>

die Brombeere
Brom·bee·re [Nomen] <Brombeeren>

das Gemüse
Ge·mü·se [Nomen] <Gemüse>

die Aubergine
Au·ber·gi·ne [Nomen] <Auberginen>

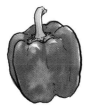

die Paprika
Pap·ri·ka Nomen <Paprika(s)>

der Spinat
Spi·nat Nomen

die Bohne
Boh·ne Nomen <Bohnen>

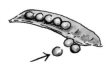

die Erbse
Erb·se Nomen <Erbsen>

die Karotte
Ka·rot·te Nomen <Karotten>

der Mais
Mais Nomen

die Kartoffel
Kar·tof·fel Nomen <Kartoffeln>

die Tomate
To·ma·te Nomen <Tomaten>

die Gurke
Gur·ke Nomen <Gurken>

die Zwiebel
Zwie·bel Nomen <Zwiebeln>

die Zucchini
Zuc·chi·ni Nomen <Zucchini>

der Pilz
Pilz Nomen <Pilze>

die Nuss
Nuss Nomen <Nüsse>

der Salat
Sa·lat Nomen <Salate>

das Öl
Öl Nomen <Öle>

der Essig
Es·sig Nomen <Essige>

die Nudeln
Nu·deln Nomen *Plural*

der Reis
Reis Nomen

der Fisch
Fisch [Nomen] <Fische>

das Fleisch
Fleisch [Nomen]

das Geflügel
Ge·flü·gel [Nomen]

das Brot
Brot [Nomen] <Brote>

das Brötchen
Bröt·chen [Nomen] <Brötchen>

der Kuchen
Ku·chen [Nomen] <Kuchen>

backen
ba·cken [Verb] <backt/bäckt, backte/buk, hat gebacken>

die Suppe
Sup·pe [Nomen] <Suppen>

die Pommes frites
Pommes frites [Nomen] *Plural*

die Schokolade
Scho·ko·la·de [Nomen] <Schokoladen>

das Eis
Eis [Nomen] <Eis>

die Getränke
Ge·trän·ke [Nomen] *Plural*

das Bier
Bier [Nomen] <Biere>

der Wein
Wein [Nomen] <Weine>

der Kaffee
Kaf·fee [Nomen] <Kaffees>

der Tee
Tee [Nomen] <Tees>

die Milch
Milch [Nomen]

der Saft
Saft [Nomen] <Säfte>

das Glas
Glas [Nomen] <Gläser>

die Flasche
Fla·sche [Nomen] <Flaschen>

das Geschirr
Ge·schirr [Nomen]

die Tasse
Tas·se [Nomen] <Tassen>

die Untertasse
Un·ter·tas·se [Nomen] <Untertassen>

der Teller
Tel·ler [Nomen] <Teller>

das Besteck
Be·steck [Nomen] <Bestecke>

das Messer
Mes·ser [Nomen] <Messer>

die Gabel
Ga·bel [Nomen] <Gabeln>

der Löffel
Löf·fel [Nomen] <Löffel>

der Teelöffel
Tee·löf·fel [Nomen] <Teelöffel>

der Geschmack
Ge·schmack [Nomen] <Geschmäcke>

sauer
sau·er [Adjektiv] <saurer, am sauersten>
<der/die/das saure ...>

süß
süß [Adjektiv] <süßer, am süßesten>

scharf
scharf [Adjektiv] <schärfer, am schärfsten>

salzig
sal·zig [Adjektiv] <salziger, am salzigsten>

die Küche
Kü·che [Nomen] <Küchen>

kochen
ko·chen [Verb] <kocht, kochte, hat gekocht>

der Herd
Herd [Nomen] <Herde>

der Ofen
Ofen [Nomen] <Öfen>

das Restaurant
Res·tau·rant [Nomen] <Restaurants>

der Kellner
Kell·ner [Nomen] <Kellner> ♀ die Kellnerin
Kell·ner·in <Kellnerinnen>

bestellen
be·stel·len [Verb] <bestellt, bestellte, hat bestellt>

die Speisekarte
Spei·se·kar·te [Nomen] <Speisekarten>

die Farbe
Far·be Nomen <Farben>

rot
rot Adjektiv

gelb
gelb Adjektiv

blau
blau Adjektiv

grün
grün Adjektiv

braun
braun Adjektiv

grau

grau Adjektiv

schwarz

schwarz Adjektiv

weiß

weiß Adjektiv

rosa

ro·sa Adjektiv

orange

oran·ge Adjektiv

lila

li·la Adjektiv

die Stadt
Stadt Nomen <Städte>

das Dorf
Dorf Nomen <Dörfer>

die Kirche
Kir·che Nomen <Kirchen>

das Hotel
Ho·tel Nomen <Hotels>

das Einzelzimmer
Ein·zel·zim·mer Nomen <Einzelzimmer>

das Doppelzimmer
Dop·pel·zim·mer Nomen <Doppelzimmer>

die Jugendherberge
Ju·gend·her·ber·ge Nomen <Jugendherbergen>

der Platz
Platz Nomen <Plätze>

die Garage
Ga·ra·ge Nomen <Garagen>

das Haus
Haus [Nomen] <Häuser>

das Dach
Dach [Nomen] <Dächer>

der Dachboden
Dach·bo·den [Nomen] <Dachböden>

das Fenster
Fens·ter [Nomen] <Fenster>

der Balkon
Bal·kon [Nomen] <Balkons, Balkone>

die Tür
Tür [Nomen] <Türen>

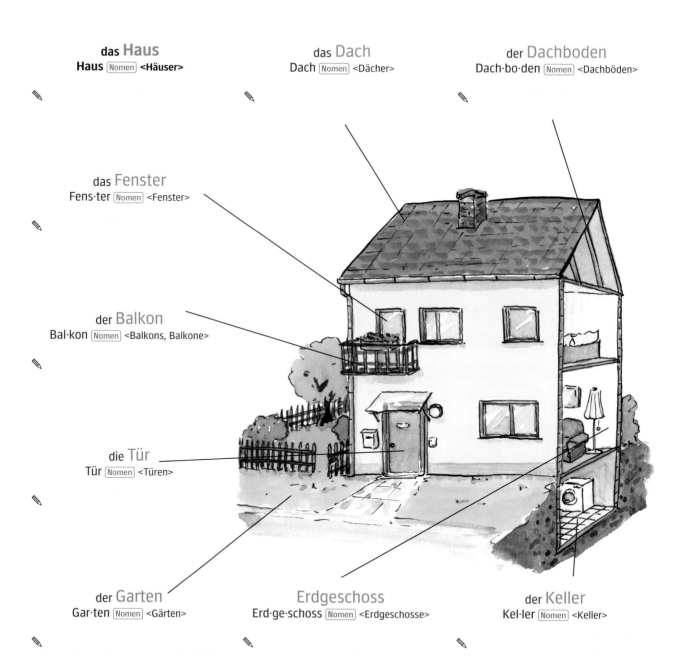

der Garten
Gar·ten [Nomen] <Gärten>

Erdgeschoss
Erd·ge·schoss [Nomen] <Erdgeschosse>

der Keller
Kel·ler [Nomen] <Keller>

die Wohnung
Woh·nung [Nomen] <Wohnungen>

der Umzug
Um·zug [Nomen] <Umzüge>

ausziehen
aus|zie·hen [Verb] <zieht aus, zog aus, ist
ausgezogen>

einziehen
ein|zie·hen [Verb] <zieht ein, zog ein, ist
eingezogen>

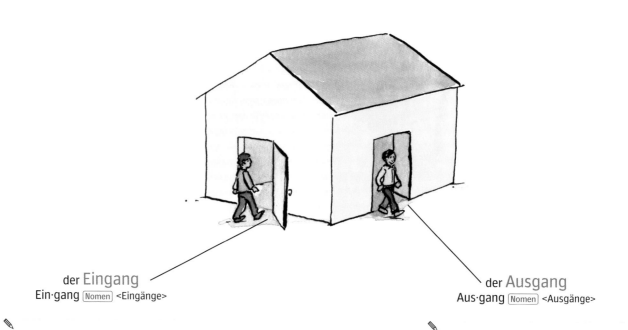

der Eingang
Ein·gang [Nomen] <Eingänge>

der Ausgang
Aus·gang [Nomen] <Ausgänge>

das Zimmer
Zim·mer [Nomen] <Zimmer>

das Schlafzimmer
Schlaf·zim·mer [Nomen] <Schlafzimmer>

das Wohnzimmer
Wohn·zim·mer [Nomen] <Wohnzimmer>

das Bad
Bad Nomen <Bäder>

die Dusche
Du·sche Nomen <Duschen>

die Toilette
To·i·let·te Nomen <Toiletten>

das Toilettenpapier
To·i·let·ten·pa·pier Nomen

die Möbel
Mö·bel Nomen *Plural*

das Bett
Bett Nomen <Betten>

der Schrank
Schrank Nomen <Schränke>

das Regal
Re·gal Nomen <Regale>

der Tisch
Tisch Nomen <Tische>

der Stuhl
Stuhl `Nomen` <Stühle>

die Bank
Bank `Nomen` <Bänke>

der Sessel
Ses·sel `Nomen` <Sessel>

das Sofa
So·fa `Nomen` <Sofas>

die Lampe
Lam·pe `Nomen` <Lampen>

der Teppich
Tep·pich `Nomen` <Teppiche>

das Bild
Bild `Nomen` <Bilder>

der Schlüssel
Schlüs·sel `Nomen` <Schlüssel>

die Zahl
Zahl `Nomen` <Zahlen>

null
null `Zahlwort`

eins
eins `Zahlwort`

2

zwei
zwei `Zahlwort`

3

drei
drei `Zahlwort`

4

vier
vier `Zahlwort`

fünf
fünf `Zahlwort`

6

sechs
sechs `Zahlwort`

7

sieben
sie·ben `Zahlwort`

acht
acht `Zahlwort`

neun
neun `Zahlwort`

10

zehn
zehn `Zahlwort`

11

elf
elf `Zahlwort`

12

zwölf
zwölf `Zahlwort`

13

dreizehn
drei·zehn `Zahlwort`

14

vierzehn
vier·zehn `Zahlwort`

15

fünfzehn
fünf·zehn `Zahlwort`

16

sechzehn
sech·zehn `Zahlwort`

17
|||| |||| |||| ||

siebzehn
sieb·zehn Zahlwort

18
|||| |||| |||| |||

achtzehn
acht·zehn Zahlwort

19
|||| |||| |||| ||||

neunzehn
neun·zehn Zahlwort

20
|||| |||| |||| ||||

zwanzig
zwan·zig Zahlwort

21
|||| |||| |||| ||||
|

einundzwanzig
ein·und·zwan·zig Zahlwort

30
|||| |||| |||| ||||
|||| ||||

dreißig
drei·ßig Zahlwort

40
|||| |||| |||| ||||
|||| |||| |||| ||||

vierzig
vier·zig Zahlwort

50
|||| |||| |||| |||| ||||
|||| |||| |||| |||| ||||

fünfzig
fünf·zig Zahlwort

60
|||| |||| |||| |||| |||| ||||
|||| |||| |||| |||| |||| ||||

sechzig
sech·zig Zahlwort

70

siebzig
sieb·zig [Zahlwort]

80

achtzig
acht·zig [Zahlwort]

90

neunzig
neun·zig [Zahlwort]

100

hundert
hun·dert [Zahlwort]

101

hunderteins
hun·dert·eins [Zahlwort]

200

zweihundert
zwei·hun·dert [Zahlwort]

1000

tausend
tau·send [Zahlwort]

1.000.000

die Million
Mil·li·on [Nomen] <Millionen>

1.000.000.000

die Milliarde

Mil·li·ar·de Nomen <Milliarden>

rechnen

rech·nen Verb <rechnet, rechnete, hat gerechnet>

plus

plus

minus

mi·nus

geteilt

ge·teilt

mal

mal

das Prozent

Pro·zent Nomen <Prozent>

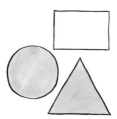

die Form
Form [Nomen] **Formen**

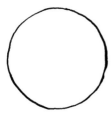

der Kreis
Kreis [Nomen] <Kreise>

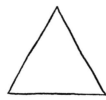

das Dreieck
Drei·eck [Nomen] <Dreiecke>

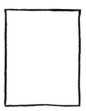

das Viereck
Vier·eck [Nomen] <Vierecke>

ganz
ganz [Adjektiv]

der Teil
Teil [Nomen] <Teile>

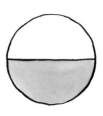

die Hälfte
Hälf·te [Nomen] <Hälften>

das Drittel
Drit·tel [Nomen] <Drittel>

das Viertel
Vier·tel [Nomen] <Viertel>

das Fünftel
Fünf·tel [Nomen] <Fünftel>

das Sechstel
Sechs·tel [Nomen] <Sechstel>

das Siebtel
Sieb·tel [Nomen] <Siebtel>

das Achtel
Ach·tel [Nomen] <Achtel>

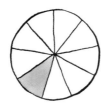

das Neuntel
Neun·tel [Nomen] <Neuntel>

das Zehntel
Zehn·tel [Nomen] <Zehntel>

1. erste
ers·te [Zahlwort] *der/die/das erste ...*

✎

2. zweite
zwei·te [Zahlwort] *der/die/das zweite ...*

✎

3. dritte
drit·te [Zahlwort] *der/die/das dritte ...*

✎

4. vierte
vier·te [Zahlwort] *der/die/das vierte ...*

✎

5. fünfte
fünf·te [Zahlwort] *der/die/das fünfte ...*

✎

6. sechste
sechs·te [Zahlwort] *der/die/das sechste ...*

✎

7. siebte
sieb·te [Zahlwort] *der/die/das siebte ...*

✎

8. achte
ach·te [Zahlwort] *der/die/das achte ...*

✎

9. neunte
neun·te [Zahlwort] *der/die/das neunte ...*

✎

10. zehnte
zehn·te [Zahlwort] *der/die/das zehnte ...*

✎

das Geschäft
Ge·schäft [Nomen] <Geschäfte>

die Kasse
Kas·se [Nomen] <Kassen>

einkaufen
ein|kau·fen [Verb] <kauft ein, kaufte ein, hat
eingekauft>

♂ der Verkäufer
Ver·käu·fer [Nomen] <Verkäufer>
♀ die Verkäuferin Ver·käu·fe·rin
<Verkäuferinnen>

♂ der Kunde
Kun·de [Nomen] <Kunden> ♀ die Kundin
Kun·din <Kundinnen>

der Preis
Preis [Nomen] <Preise>

kosten

kos·ten Verb \<kostet, kostete, hat gekostet>

billig

bil·lig Adjektiv \<billiger, am billigsten>

teuer

teu·er Adjektiv \<teurer, am teuersten>
\<der/die/das teure ...>

verkaufen

ver·kau·fen Verb \<verkauft, verkaufte, hat verkauft>

kaufen

kau·fen Verb \<kauft, kaufte, hat gekauft>

die Tüte
Tü·te [Nomen] <Tüten>

die Geldbörse
Geld·bör·se [Nomen] <Geldbörsen>

die Brieftasche
Brief·ta·sche [Nomen] <Brieftaschen>

der Markt
Markt [Nomen] <Märkte>

der Supermarkt
Su·per·markt [Nomen] <Supermärkte>

der Kiosk
Ki·osk [Nomen] <Kioske>

die Bäckerei
Bä·cke·rei [Nomen] <Bäckereien>

die Fleischerei
Flei·sche·rei [Nomen] <Fleischereien>

der Frisör
Fri·sör [Nomen] <Frisöre>

die Rechnung
Rech·nung [Nomen] <Rechnungen>

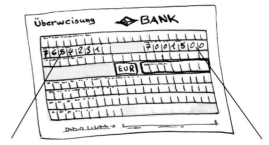

die Kontonummer
Kon·to·num·mer [Nomen] <Kontonummern>

die Bankleitzahl
Bank·leit·zahl [Nomen] <Bankleitzahlen>

zahlen
zah·len [Verb] <zahlt, zahlte, hat gezahlt>

die Kreditkarte
Kre·dit·kar·te [Nomen] <Kreditkarten>

das Geld
Geld [Nomen]

der Euro
Eu·ro [Nomen] <Euro(s)>

der Cent
Cent [Nomen] <Cent(s)>

die Bank
Bank [Nomen] <Banken>

die Adresse
Ad·res·se [Nomen] <Adressen>

der Name (Stefan Weber)
Na·me [Nomen] <Namen>

der Vorname (Stefan)
Vor·na·me [Nomen] <Vornamen>

der Familienname (Weber)
Fa·mi·li·en·na·me [Nomen] <Familiennamen>

die Straße (Goethestraße)
Stra·ße [Nomen] <Straßen>

die Nummer (14)
Num·mer [Nomen] <Nummern>

der Ort (Köln)
Ort [Nomen] <Orte>

die Postleitzahl (50663)
Post·leit·zahl [Nomen] <Postleitzahlen>

der Geburtsort
Ge·burts·ort [Nomen] <Geburtsorte>

das Geburtsjahr
Ge·burts·jahr [Nomen] <Geburtsjahre>

das Geburtsdatum
Ge·burts·da·tum [Nomen] <Geburtsdaten>

männlich
männ·lich [Adjektiv]

weiblich
weib·lich [Adjektiv]

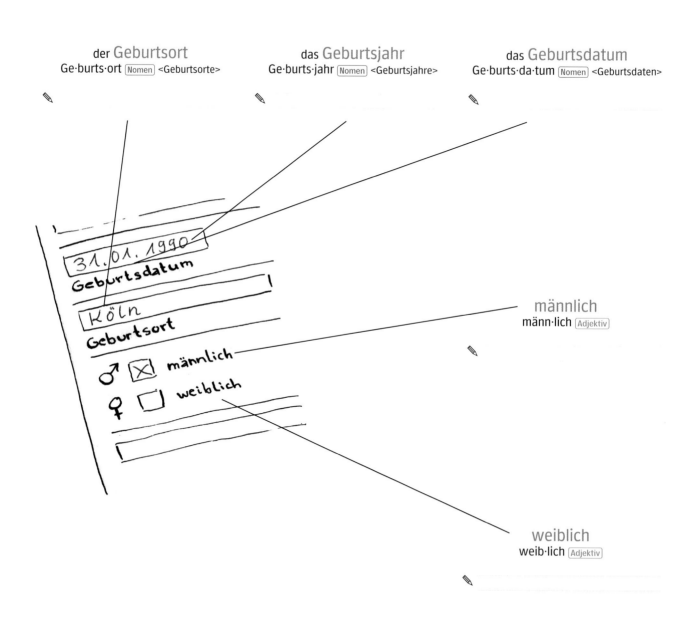

das Formular
For·mu·lar [Nomen] <Formulare>

ausfüllen
aus|fül·len [Verb] <füllt aus, füllte aus, hat ausgefüllt>

das Alter
Al·ter [Nomen] <Alter>

heißen
hei·ßen [Verb] <heißt, hieß, hat geheißen>

unterschreiben
un·ter·schrei·ben [Verb] <unterschreibt, unterschrieb, hat unterschrieben>

die Unterschrift
Un·ter·schrift [Nomen] <Unterschriften>

der Familienstand
Fa·mi·li·en·stand [Nomen]

ledig
le·dig [Adjektiv]

verheiratet
ver·hei·ra·tet [Adjektiv]

geschieden
ge·schie·den [Adjektiv]

verwitwet
ver·wit·wet [Adjektiv]

heiraten
hei·ra·ten [Verb] <heiratet, heiratete, hat geheiratet>

die Papiere
Pa·pie·re [Nomen] *Plural*

der Ausweis
Aus·weis [Nomen] <Ausweise>

der Pass
Pass [Nomen] <Pässe>

die Familie
Fa·mi·lie [Nomen] <Familien>

die Großeltern (1, 2, 3, 4)
Groß·el·tern [Nomen] *Plural*

der Großvater (1, 3)
Groß·va·ter [Nomen] <Großväter>

die Großmutter (2, 4)
Groß·mut·ter [Nomen] <Großmütter>

die Eltern (5, 6, 7, 8)
El·tern [Nomen] *nur Plural*

der Vater (5, 7)
Va·ter [Nomen] <Väter>

die Mutter (6, 8)
Mut·ter [Nomen] <Mütter>

der Sohn (9, 12, 13)
Sohn [Nomen] <Söhne>

die Tochter (10, 11, 14)
Toch·ter [Nomen] <Töchter>

der Papa
Pa·pa [Nomen] <Papas>

die Mama
Ma·ma [Nomen] <Mamas>

die Geschwister
Ge·schwis·ter [Nomen] *Plural*

der Bruder
Bru·der [Nomen] <Brüder>

die Schwester
Schwes·ter [Nomen] <Schwestern>

die Tante
Tan·te [Nomen] <Tanten>

der Onkel
On·kel [Nomen] <Onkel>

der Cousin
Cou·sin [Nomen] <Cousins>

die Cousine
Cou·si·ne [Nomen] <Cousinen>

das Ehepaar
Ehe·paar [Nomen] <Ehepaare>

der Mann
Mann [Nomen] <Männer>

die Frau
Frau [Nomen] <Frauen>

der Freund
Freund [Nomen] <Freunde>

die Freundin
Freun·din [Nomen] <Freundinnen>

der Partner
Part·ner [Nomen] <Partner>

die Partnerin
Part·ne·rin [Nomen] <Partnerinnen>

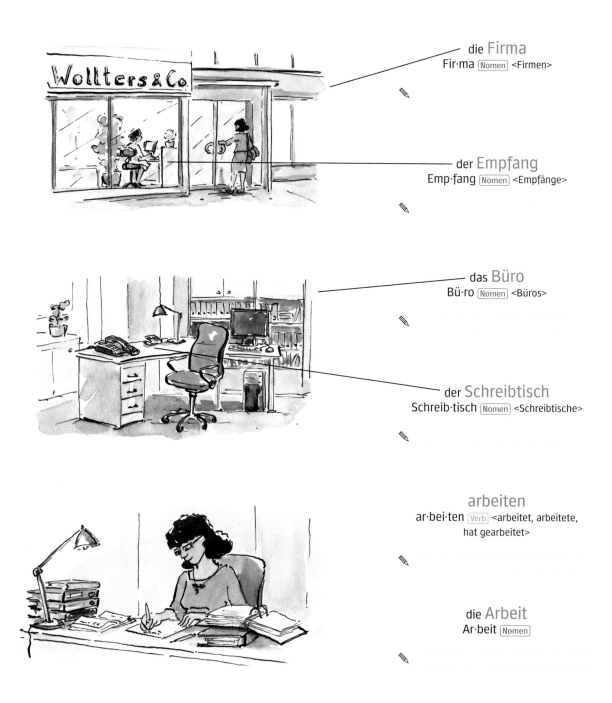

die **Firma**
Fir·ma Nomen <Firmen>

der **Empfang**
Emp·fang Nomen <Empfänge>

das **Büro**
Bü·ro Nomen <Büros>

der **Schreibtisch**
Schreib·tisch Nomen <Schreibtische>

arbeiten
ar·bei·ten Verb <arbeitet, arbeitete,
hat gearbeitet>

die **Arbeit**
Ar·beit Nomen

♂ der Chef
Chef [Nomen] <Chefs> ♀ die Chefin Che·fin
<Chefinnen>

♂ der Kollege
Kol·le·ge [Nomen] <Kollegen> ♀ die Kollegin
Kol·le·gin <Kolleginnen>

telefonieren
te·le·fo·nie·ren [Verb] <telefoniert, telefonierte,
hat telefoniert>

die Pause
Pau·se [Nomen] <Pausen>

der Feierabend
Fei·er·abend [Nomen] <Feierabende>

der Beruf
Be·ruf [Nomen] <Berufe>

♂ der Anwalt
An·walt [Nomen] <Anwälte> ♀ die Anwältin
An·wäl·tin <Anwältinnen>

♂ Arbeiter
Ar·bei·ter [Nomen] <Arbeiter> ♀ die Arbeiterin
Ar·bei·te·rin <Arbeiterinnen>

♂ der Bäcker
Bä·cker [Nomen] <Bäcker> ♀ die Bäckerin
Bä·cke·rin <Bäckerinnen>

♂ der Bauer
Bau·er [Nomen] <Bauern> ♀ die Bäuerin
Bäu·e·rin <Bäuerinnen>

♂ der Briefträger
Brief·trä·ger [Nomen] <Briefträger>
♀ die Briefträgerin Brief·trä·ge·rin
<Briefträgerinnen>

♂ der Elektriker
Elek·tri·ker [Nomen] <Elektriker>
♀ die Elektrikerin Elek·tri·ke·rin
<Elektrikerinnen>

♂ der Fleischer
Flei·scher [Nomen] <Fleischer>
♀ die Fleischerin Flei·sche·rin
<Fleischerinnen>

♂ der Gärtner
Gärt·ner [Nomen] <Gärtner> ♀ die Gärtnerin
Gärt·ne·rin <Gärtnerinnen>

♂ der Hausmann
Haus·mann [Nomen] <Hausmänner>
♀ die Hausfrau Haus·frau
<Hausfrauen>

♂ der Hausmeister
Haus·meis·ter [Nomen] <Hausmeister>
♀ die Hausmeisterin Haus·meis·te·rin
<Hausmeisterinnen>

♂ der Installateur
In·stal·la·teur [Nomen] <Installateure>
♀ die Installateurin In·stal·la·teu·rin
<Installateurinnen>

♂ der Maler
Ma·ler [Nomen] <Maler> ♀ die Malerin
Ma·le·rin <Malerinnen>

♂ der Maurer
Mau·rer [Nomen] <Maurer> ♀ die Maurerin
Mau·re·rin <Maurerinnen>

♂ der Mechaniker
Me·cha·ni·ker [Nomen] <Mechaniker>
♀ die Mechanikerin Me·cha·ni·ke·rin
<Mechanikerinnen>

♂ der Polizist
Po·li·zist [Nomen] <Polizisten> ♀ die Polizistin
Po·li·zis·tin <Polizistinnen>

♂ der Schneider
Schnei·der [Nomen] <Schneider>
♀ die Schneiderin Schnei·de·rin
<Schneiderinnen>

♂ der Sekretär
Se·kre·tär [Nomen] <Sekretäre>
♀ die Sekretärin Se·kre·tä·rin
<Sekretärinnen>

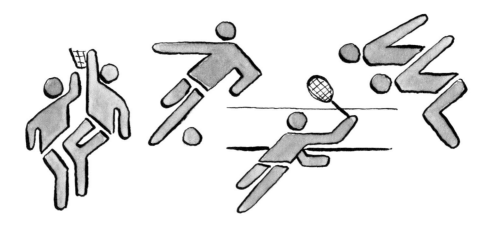

der Sport
Sport Nomen

Basketball
Bas·ket·ball Nomen

Fußball
Fuß·ball Nomen

Jogging
Jog·ging [Nomen]

Handball
Hand·ball [Nomen]

schwimmen
schwim·men [Verb] <schwimmt, schwamm, ist geschwommen>

tanzen
tan·zen [Verb] <tanzt, tanzte, hat getanzt>

Tennis
Ten·nis [Nomen]

Tischtennis
Tisch·ten·nis [Nomen]

Volleyball
Vol·ley·ball [Nomen]

der Ball
Ball [Nomen] <Bälle>

wandern
wan·dern Verb <wandert, wanderte, ist gewandert>

der Spaziergang
Spa·zier·gang Nomen <Spaziergänge>

das Schwimmbad
Schwimm·bad Nomen <Schwimmbäder>

die Sporthalle
Sport·hal·le Nomen <Sporthallen>

der Sportplatz
Sport·platz Nomen <Sportplätze>

das Kino
Ki·no Nomen <Kinos>

das Museum
Mu·se·um Nomen <Museen>

das Theater
The·a·ter Nomen <Theater>

der Geburtstag
Ge·burts·tag [Nomen] <Geburtstage>

die Einladung
Ein·la·dung [Nomen] <Einladungen>

die Torte
Tor·te [Nomen] <Torten>

besuchen
be·su·chen [Verb] <besucht, besuchte, hat besucht>

grüßen
grü·ßen [Verb] <grüßt, grüßte, hat gegrüßt>

Hallo!
Hal·lo! [Interjektion]

Guten Tag!
Gu·ten Tag!

gratulieren
gra·tu·lie·ren [Verb] <gratuliert, gratulierte, hat gratuliert>

Herzlichen Glückwunsch!
Herz·li·chen Glück·wunsch!

danken
dan·ken [Verb] <dankt, dankte, hat gedankt>

bitte
bit·te [Partikel]

danke
dan·ke [Partikel]

das Geschenk
Ge·schenk [Nomen] <Geschenke>

der Gast
Gast [Nomen] <Gäste>

sich verabschieden
sich ver·ab·schie·den [Verb] <verabschiedet
sich, verabschiedete sich, hat sich
verabschiedet>

Auf Wiedersehen!
Auf Wie·der·se·hen!

tschüss
tschüss

die Uhr
Uhr [Nomen] <Uhren>

der Zeiger
Zei·ger [Nomen] <Zeiger>

die Stunde
Stun·de [Nomen] <Stunden>

eine halbe Stunde
ei·ne hal·be Stun·de

eine viertel Stunde
ei·ne vier·tel Stun·de

die Minute
Mi·nu·te [Nomen] <Minuten>

die Sekunde
Se·kun·de [Nomen] <Sekunden>

früh
früh [Adj., Adv.] <früher, am früh(e)sten>

spät
spät [Adj., Adv.] <später, am spätesten>

die Uhrzeit
Uhr·zeit [Nomen] <Uhrzeiten>

ein Uhr
ein Uhr

zwei Uhr
zwei Uhr

drei Uhr
drei Uhr

vier Uhr
vier Uhr

fünf Uhr
fünf Uhr

sechs Uhr
sechs Uhr

sieben Uhr
sie·ben Uhr

acht Uhr
acht Uhr

neun Uhr
neun Uhr

zehn Uhr
zehn Uhr

elf Uhr
elf Uhr

zwölf Uhr
zwölf Uhr

zwei Uhr morgens
zwei Uhr mor·gens

zwei Uhr nachmittags
zwei Uhr nach·mit·tags

sechs Uhr abends
sechs Uhr abends

zwölf Uhr mittags
zwölf Uhr mit·tags

zwölf Uhr nachts
zwölf Uhr nachts

Wie spät ist es?

Es ist ein Uhr.

Viertel nach eins
Vier·tel nach eins

halb zwei
halb zwei

Viertel vor zwei
Vier·tel vor zwei

vorgestern
vor·ges·tern [Adverb]

gestern
ges·tern [Adverb]

heute
heu·te [Adverb]

morgen
mor·gen [Adverb]

übermorgen
über·mor·gen [Adverb]

Montag	vorgestern
Dienstag	gestern
Mittwoch	heute
Donnerstag	morgen
Freitag	übermorgen

der **Morgen**
Mor·gen [Nomen] <Morgen>

morgens
mor·gens [Adverb]

Guten Morgen!
Gu·ten Mor·gen!

der **Mittag**
Mit·tag [Nomen] <Mittage>

mittags
mit·tags [Adverb]

der **Abend**
Abend [Nomen] <Abende>

abends
abends [Adverb]

Guten Abend!
Gu·ten Abend!

der Tag
Tag Nomen <Tage>

tagsüber
tags·über Adverb

Guten Tag!
Gu·ten Tag!

die Nacht
Nacht Nomen <Nächte>

nachts
nachts Adverb

Gute Nacht!
Gu·te Nacht!

die Woche
Wo·che [Nomen] <Wochen>

der Wochentag (1–7)
Wo·chen·tag [Nomen] <Wochentage>

der Werktag (1–5)
Werk·tag [Nomen] <Werktage>

das Wochenende (6, 7)
Wo·chen·en·de [Nomen] <Wochenenden>

1	Montag
2	Dienstag
3	Mittwoch
4	Donnerstag
5	Freitag
6	Samstag
7	Sonntag

der Montag
Mon·tag [Nomen] <Montage>

der Dienstag
Diens·tag [Nomen] <Dienstage>

der Mittwoch
Mitt·woch [Nomen] <Mittwoche>

der Donnerstag
Don·ners·tag [Nomen] <Donnerstage>

der Freitag
Frei·tag [Nomen] <Freitage>

der Samstag
Sams·tag [Nomen] <Samstage>
der Sonnabend Sonn·abend <Sonnabende>

der Sonntag
Sonn·tag [Nomen] <Sonntage>

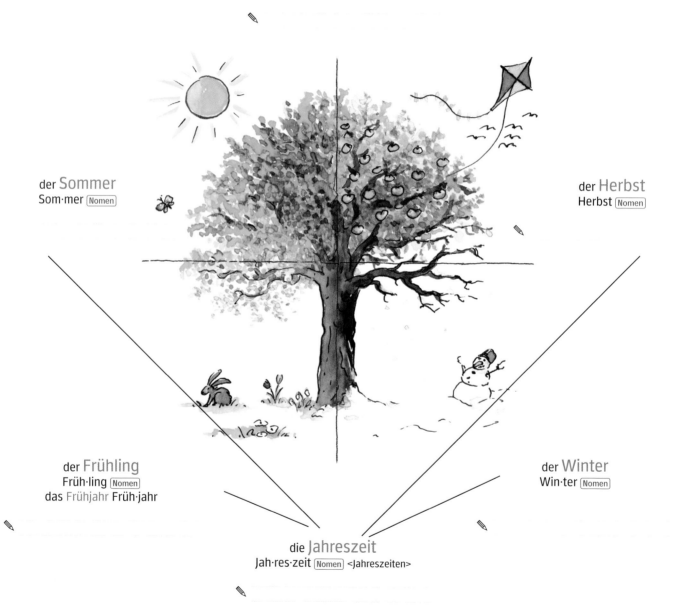

das **Jahr**
Jahr Nomen \<Jahre\>

der Sommer
Som·mer Nomen

der Herbst
Herbst Nomen

der Frühling
Früh·ling Nomen
das Frühjahr Früh·jahr

der Winter
Win·ter Nomen

die Jahreszeit
Jah·res·zeit Nomen \<Jahreszeiten\>

der Monat
Mo·nat [Nomen] <Monate>

der August
Au·gust [Nomen]

der September
Sep·tem·ber [Nomen]

der Juli
Ju·li [Nomen]

der Oktober
Ok·to·ber [Nomen]

der Juni
Ju·ni [Nomen]

der November
No·vem·ber [Nomen]

der Mai
Mai [Nomen]

der Dezember
De·zem·ber [Nomen]

der April
Ap·ril [Nomen]

der Januar
Ja·nu·ar [Nomen]

der März
März [Nomen]

der Februar
Feb·ru·ar [Nomen]

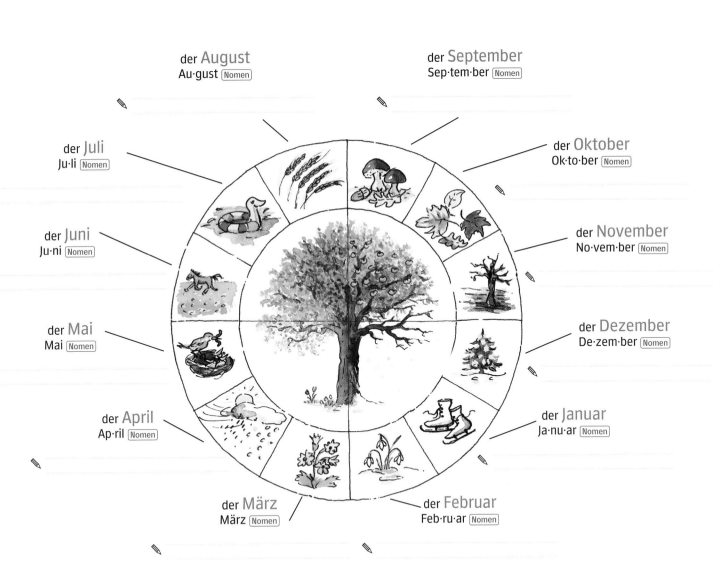

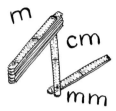

das Maß
Maß [Nomen] ‹Maße›

messen
mes·sen [Verb] ‹misst, maß, hat gemessen›

die Breite
Brei·te [Nomen] ‹Breiten›

die Höhe
Hö·he [Nomen] ‹Höhen›

die Tiefe
Tie·fe [Nomen] ‹Tiefen›

die Länge
Län·ge [Nomen] ‹Längen›

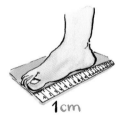

der Zentimeter
Zen·ti·me·ter [Nomen] ‹Zentimeter›

der Meter
Me·ter [Nomen] ‹Meter›

der Quadratmeter
Quad·rat·me·ter [Nomen] ‹Quadratmeter›

der Kilometer
Ki·lo·me·ter [Nomen] <Kilometer>

das Gewicht
Ge·wicht [Nomen] <Gewichte>

das Gramm
Gramm [Nomen] <Gramm>

das Pfund
Pfund [Nomen] <Pfund>

das Kilogramm
Ki·lo·gramm [Nomen] <Kilogramm>

Grad Celsius
Grad Cel·si·us

der Milliliter
Mil·li·li·ter [Nomen] <Milliliter>

der Liter
Li·ter [Nomen] <Liter>

ein halber Liter
ein hal·ber Li·ter

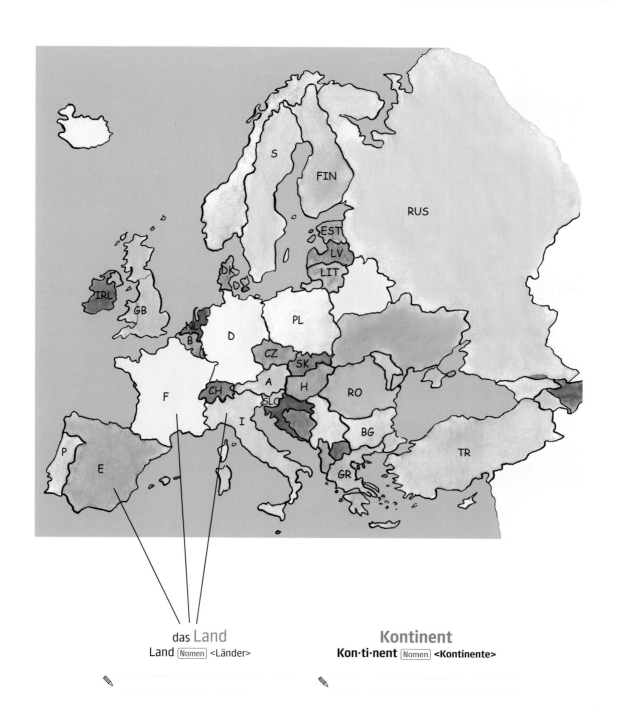

das Land

Land [Nomen] <Länder>

Kontinent

Kon·ti·nent [Nomen] <Kontinente>

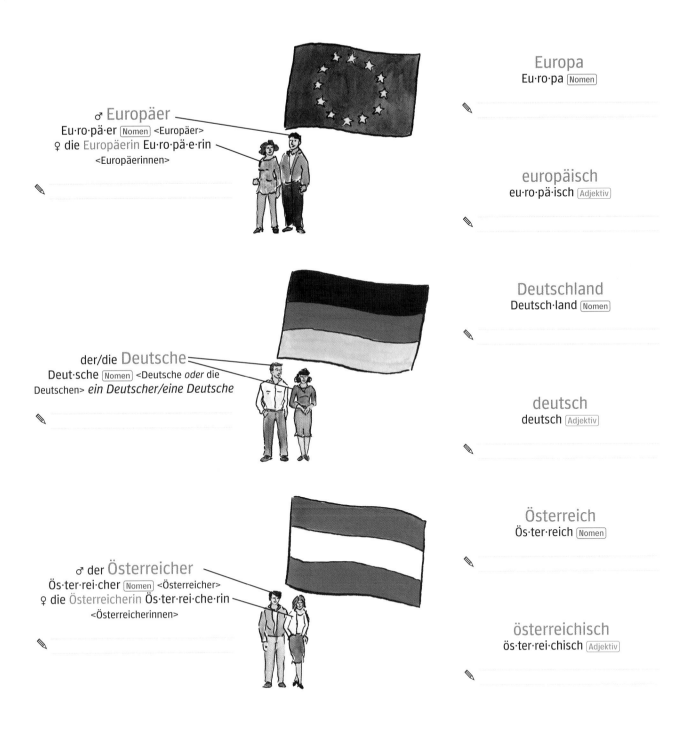

Europa
Eu·ro·pa [Nomen]

♂ Europäer
Eu·ro·pä·er [Nomen] <Europäer>
♀ die Europäerin Eu·ro·pä·e·rin
<Europäerinnen>

europäisch
eu·ro·pä·isch [Adjektiv]

Deutschland
Deutsch·land [Nomen]

der/die Deutsche
Deut·sche [Nomen] <Deutsche *oder* die
Deutschen> *ein Deutscher/eine Deutsche*

deutsch
deutsch [Adjektiv]

Österreich
Ös·ter·reich [Nomen]

♂ der Österreicher
Ös·ter·rei·cher [Nomen] <Österreicher>
♀ die Österreicherin Ös·ter·rei·che·rin
<Österreicherinnen>

österreichisch
ös·ter·rei·chisch [Adjektiv]

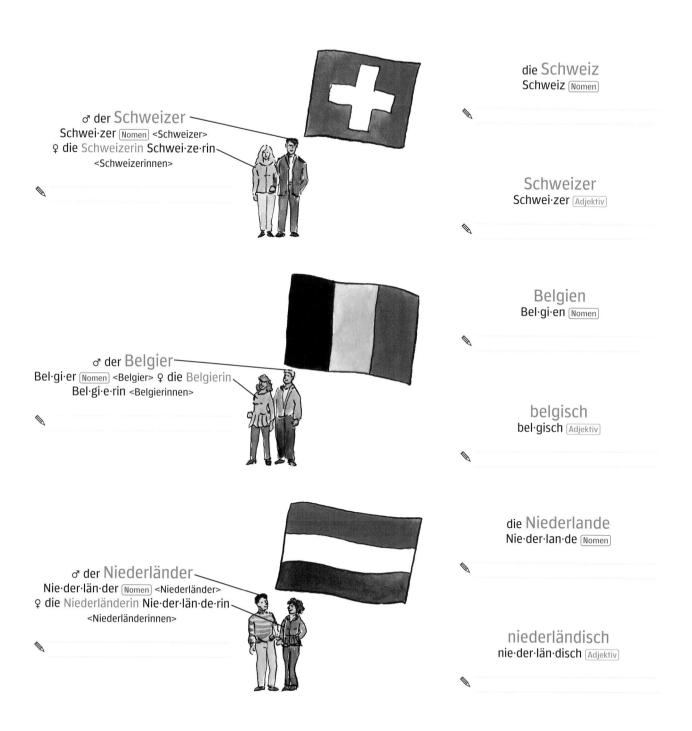

♂ der Schweizer
Schwei·zer [Nomen] <Schweizer>
♀ die Schweizerin Schwei·ze·rin
<Schweizerinnen>

die Schweiz
Schweiz [Nomen]

Schweizer
Schwei·zer [Adjektiv]

Belgien
Bel·gi·en [Nomen]

♂ der Belgier
Bel·gi·er [Nomen] <Belgier> ♀ die Belgierin
Bel·gi·e·rin <Belgierinnen>

belgisch
bel·gisch [Adjektiv]

die Niederlande
Nie·der·lan·de [Nomen]

♂ der Niederländer
Nie·der·län·der [Nomen] <Niederländer>
♀ die Niederländerin Nie·der·län·de·rin
<Niederländerinnen>

niederländisch
nie·der·län·disch [Adjektiv]

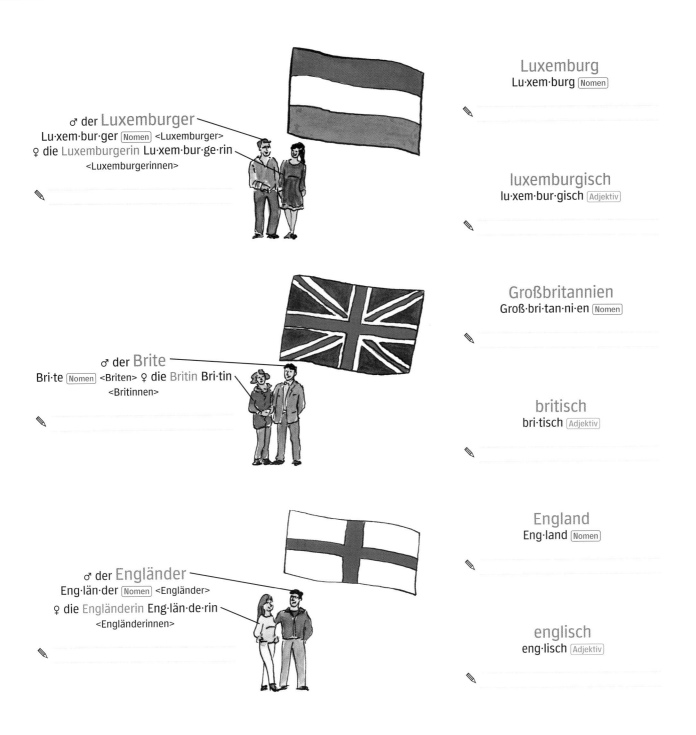

Luxemburg
Lu·xem·burg [Nomen]

♂ der Luxemburger
Lu·xem·bur·ger [Nomen] <Luxemburger>
♀ die Luxemburgerin Lu·xem·bur·ge·rin
<Luxemburgerinnen>

luxemburgisch
lu·xem·bur·gisch [Adjektiv]

Großbritannien
Groß·bri·tan·ni·en [Nomen]

♂ der Brite
Bri·te [Nomen] <Briten> ♀ die Britin Bri·tin
<Britinnen>

britisch
bri·tisch [Adjektiv]

England
Eng·land [Nomen]

♂ der Engländer
Eng·län·der [Nomen] <Engländer>
♀ die Engländerin Eng·län·de·rin
<Engländerinnen>

englisch
eng·lisch [Adjektiv]

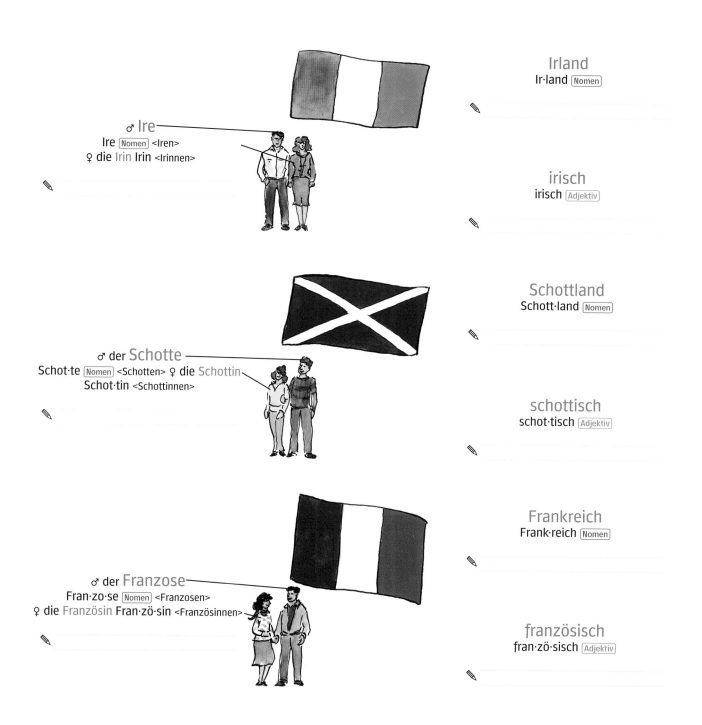

♂ Ire

Ire [Nomen] <Iren>
♀ die Irin Irin <Irinnen>

Irland
Ir·land [Nomen]

irisch
irisch [Adjektiv]

♂ der Schotte

Schot·te [Nomen] <Schotten> ♀ die Schottin
Schot·tin <Schottinnen>

Schottland
Schott·land [Nomen]

schottisch
schot·tisch [Adjektiv]

♂ der Franzose

Fran·zo·se [Nomen] <Franzosen>
♀ die Französin Fran·zö·sin <Französinnen>

Frankreich
Frank·reich [Nomen]

französisch
fran·zö·sisch [Adjektiv]

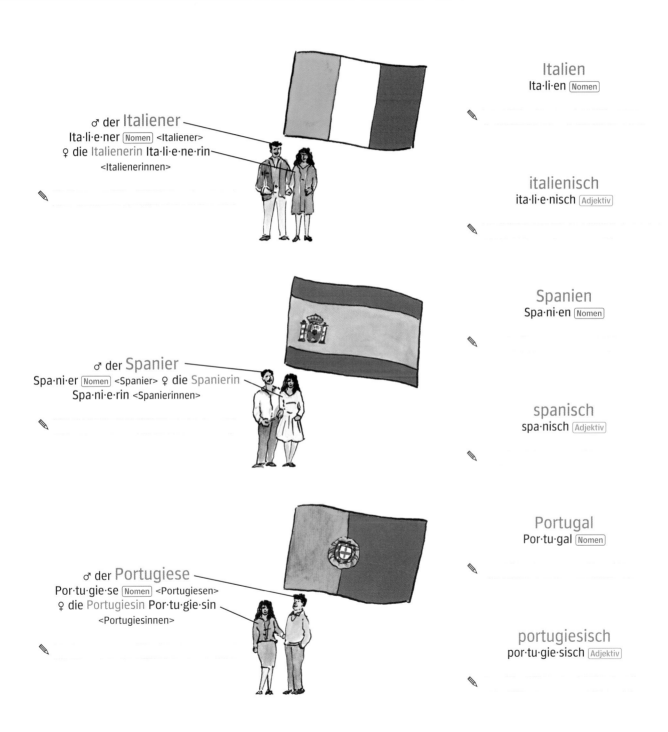

Italien
Ita·li·en [Nomen]

♂ der Italiener
Ita·li·e·ner [Nomen] <Italiener>
♀ die Italienerin Ita·li·e·ne·rin
<Italienerinnen>

italienisch
ita·li·e·nisch [Adjektiv]

Spanien
Spa·ni·en [Nomen]

♂ der Spanier
Spa·ni·er [Nomen] <Spanier> ♀ die Spanierin
Spa·ni·e·rin <Spanierinnen>

spanisch
spa·nisch [Adjektiv]

Portugal
Por·tu·gal [Nomen]

♂ der Portugiese
Por·tu·gie·se [Nomen] <Portugiesen>
♀ die Portugiesin Por·tu·gie·sin
<Portugiesinnen>

portugiesisch
por·tu·gie·sisch [Adjektiv]

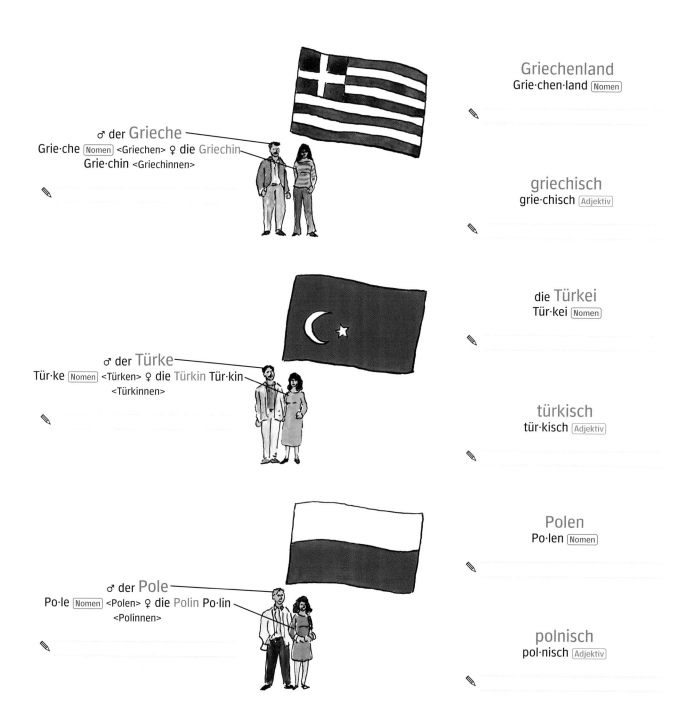

Griechenland
Grie·chen·land [Nomen]

griechisch
grie·chisch [Adjektiv]

♂ der Grieche
Grie·che [Nomen] <Griechen> ♀ die Griechin
Grie·chin <Griechinnen>

die Türkei
Tür·kei [Nomen]

türkisch
tür·kisch [Adjektiv]

♂ der Türke
Tür·ke [Nomen] <Türken> ♀ die Türkin Tür·kin
<Türkinnen>

Polen
Po·len [Nomen]

polnisch
pol·nisch [Adjektiv]

♂ der Pole
Po·le [Nomen] <Polen> ♀ die Polin Po·lin
<Polinnen>

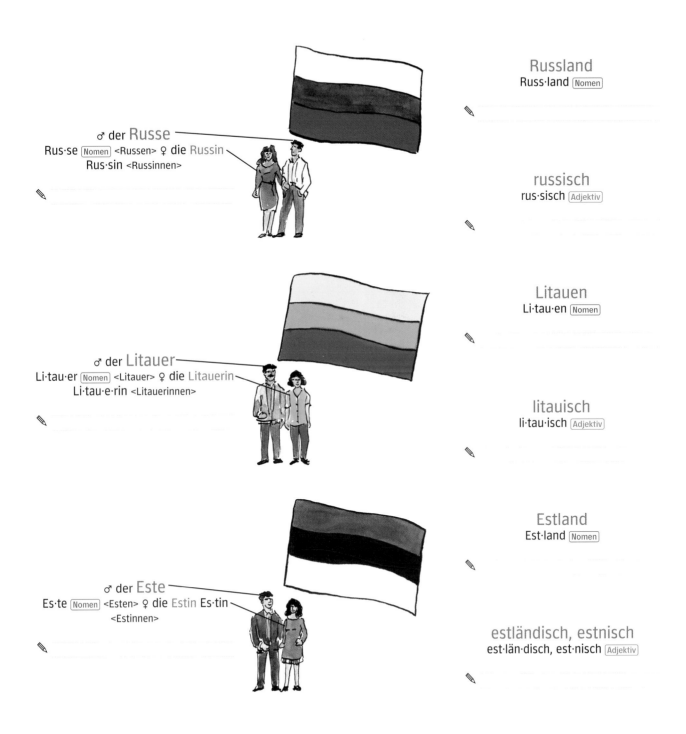

Russland
Russ·land Nomen

♂ der Russe
Rus·se Nomen \<Russen\> ♀ die Russin
Rus·sin \<Russinnen\>

russisch
rus·sisch Adjektiv

Litauen
Li·tau·en Nomen

♂ der Litauer
Li·tau·er Nomen \<Litauer\> ♀ die Litauerin
Li·tau·e·rin \<Litauerinnen\>

litauisch
li·tau·isch Adjektiv

Estland
Est·land Nomen

♂ der Este
Es·te Nomen \<Esten\> ♀ die Estin Es·tin
\<Estinnen\>

estländisch, estnisch
est·län·disch, est·nisch Adjektiv

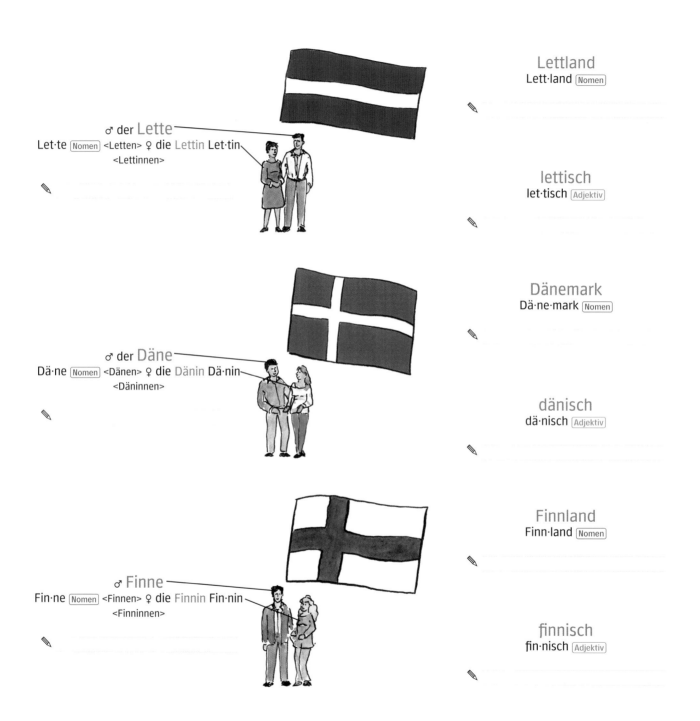

Lettland
Lett·land [Nomen]

♂ der Lette
Let·te [Nomen] <Letten> ♀ die Lettin Let·tin
<Lettinnen>

lettisch
let·tisch [Adjektiv]

Dänemark
Dä·ne·mark [Nomen]

♂ der Däne
Dä·ne [Nomen] <Dänen> ♀ die Dänin Dä·nin
<Däninnen>

dänisch
dä·nisch [Adjektiv]

Finnland
Finn·land [Nomen]

♂ Finne
Fin·ne [Nomen] <Finnen> ♀ die Finnin Fin·nin
<Finninnen>

finnisch
fin·nisch [Adjektiv]

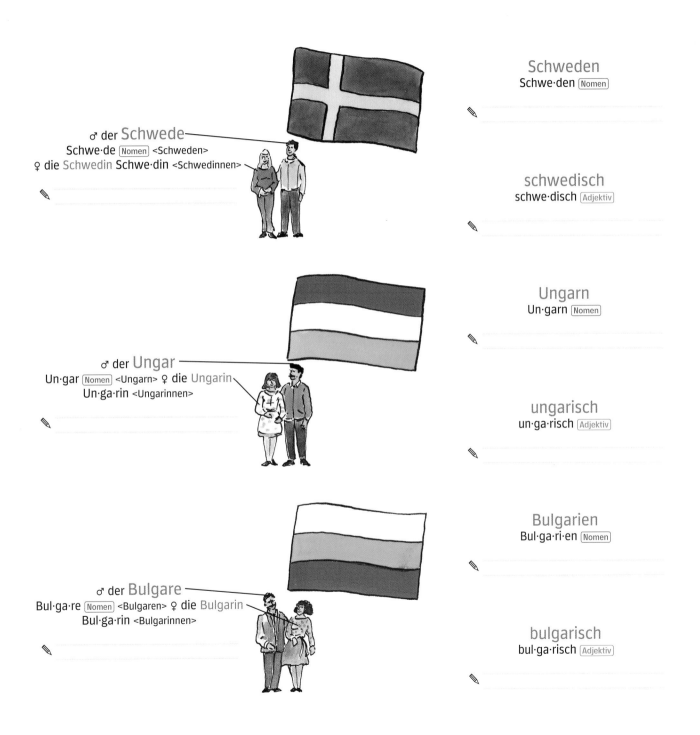

Schweden
Schwe·den [Nomen]

♂ der Schwede
Schwe·de [Nomen] <Schweden>
♀ die Schwedin Schwe·din <Schwedinnen>

schwedisch
schwe·disch [Adjektiv]

Ungarn
Un·garn [Nomen]

♂ der Ungar
Un·gar [Nomen] <Ungarn> ♀ die Ungarin
Un·ga·rin <Ungarinnen>

ungarisch
un·ga·risch [Adjektiv]

Bulgarien
Bul·ga·ri·en [Nomen]

♂ der Bulgare
Bul·ga·re [Nomen] <Bulgaren> ♀ die Bulgarin
Bul·ga·rin <Bulgarinnen>

bulgarisch
bul·ga·risch [Adjektiv]

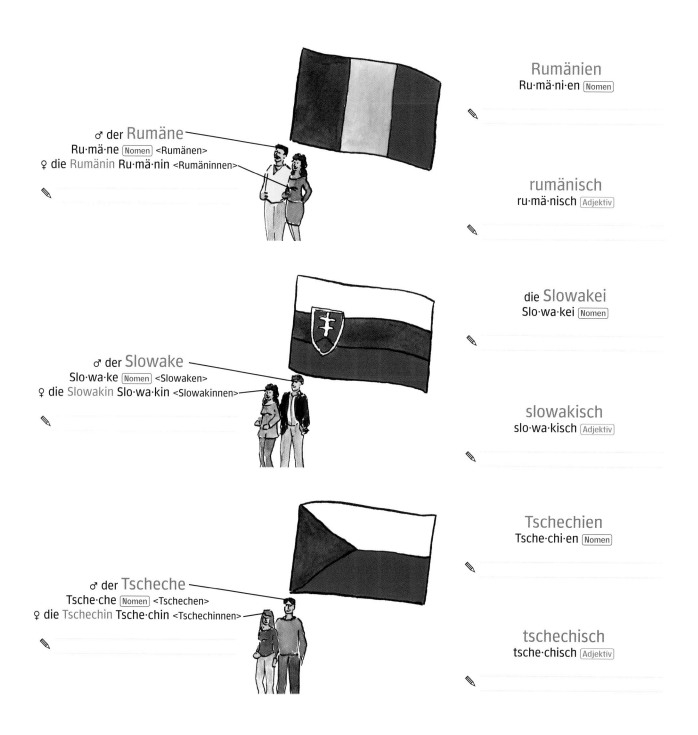

Rumänien
Ru·mä·ni·en [Nomen]

♂ der Rumäne
Ru·mä·ne [Nomen] <Rumänen>
♀ die Rumänin Ru·mä·nin <Rumäninnen>

rumänisch
ru·mä·nisch [Adjektiv]

die Slowakei
Slo·wa·kei [Nomen]

♂ der Slowake
Slo·wa·ke [Nomen] <Slowaken>
♀ die Slowakin Slo·wa·kin <Slowakinnen>

slowakisch
slo·wa·kisch [Adjektiv]

Tschechien
Tsche·chi·en [Nomen]

♂ der Tscheche
Tsche·che [Nomen] <Tschechen>
♀ die Tschechin Tsche·chin <Tschechinnen>

tschechisch
tsche·chisch [Adjektiv]

Slowenien
Slo·we·ni·en [Nomen]

♂ der Slowene
Slo·we·ne [Nomen] <Slowenen>
♀ die Slowenin Slo·we·nin <Sloweninnen>

slowenisch
slo·we·nisch [Adjektiv]

die Papiere
Pa·pie·re [Nomen] *Plural*

der Ausweis
Aus·weis [Nomen] <Ausweise>

der Pass
Pass [Nomen] <Pässe>

die Nationalität
Na·ti·o·na·li·tät [Nomen] <Nationalitäten>

das Visum
Vi·sum [Nomen] <Visa>

die Himmelsrichtung
Him·mels·rich·tung [Nomen]
<Himmelsrichtungen>

der **Norden**
Nor·den [Nomen]

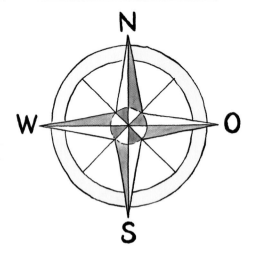

der **Westen**
Wes·ten [Nomen]

der **Osten**
Os·ten [Nomen]

der **Süden**
Sü·den [Nomen]

der **Himmel**
Him·mel [Nomen]

die **Wolke**
Wol·ke [Nomen] <Wolken>

der **Mond**
Mond [Nomen] <Monde>

der Stern
Stern [Nomen] <Sterne>

der Planet
Pla·net [Nomen] <Planeten>

die Erde
Er·de [Nomen]

das Tier
Tier [Nomen] <Tiere>

der Vogel
Vo·gel [Nomen] <Vögel>

der Fisch
Fisch [Nomen] <Fische>

das Insekt
In·sekt [Nomen] <Insekten>

der Hund
Hund [Nomen] <Hunde>

die Katze
Kat·ze [Nomen] <Katzen>

das Schwein
Schwein [Nomen] <Schweine>

die Kuh
Kuh [Nomen] <Kühe>

das Schaf
Schaf [Nomen] <Schafe>

die Pflanze
Pflan·ze [Nomen] <Pflanzen>

der Strauch
Strauch [Nomen] <Sträucher>

der Flieder
Flie·der [Nomen] <Flieder>

die Blume
Blu·me [Nomen] <Blumen>

die Rose
Ro·se [Nomen] <Rosen>

die Lilie
Li·lie [Nomen] <Lilien>

der Baum
Baum [Nomen] <Bäume>

der Laubbaum
Laub·baum [Nomen] <Laubbäume>

der Nadelbaum
Na·del·baum [Nomen] <Nadelbäume>

die Landschaft
Land·schaft [Nomen] <Landschaften>

der Berg
Berg [Nomen] <Berge>

das Gebirge
Ge·bir·ge [Nomen] <Gebirge>

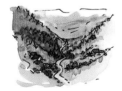

das Tal
Tal [Nomen] <Täler>

der Fluss
Fluss [Nomen] <Flüsse>

der See
See [Nomen] <Seen>

der Bach
Bach [Nomen] <Bäche>

der Wald
Wald [Nomen] <Wälder>

die Wiese
Wie·se [Nomen] <Wiesen>

das Feld
Feld [Nomen] <Felder>

der Park
Park [Nomen] <Parks>

die Wüste
Wüs·te [Nomen] <Wüsten>

die Insel
In·sel [Nomen] <Inseln>

das Meer
Meer [Nomen] <Meere>

das Wetter
Wet·ter Nomen

die Sonne
Son·ne Nomen <Sonnen>

der Regen
Re·gen Nomen

der Nebel
Ne·bel Nomen <Nebel>

der Schnee
Schnee Nomen

der Wind
Wind [Nomen] <Winde>

der Sturm
Sturm [Nomen] <Stürme>

das Gewitter
Ge·wit·ter [Nomen] <Gewitter>

der Blitz
Blitz [Nomen] <Blitze>

der Hagel
Ha·gel [Nomen]

das Eis
Eis [Nomen]

der Kindergarten
Kin·der·gar·ten [Nomen] <Kindergärten>

♂ der Erzieher
Er·zie·her [Nomen] <Erzieher>
♀ die Erzieherin Er·zie·he·rin
<Erzieherinnen>

spielen
spie·len [Verb] <spielt, spielte, hat gespielt>

das Spielzeug
Spiel·zeug [Nomen] <Spielzeuge>

die Schule
Schu·le [Nomen] <Schulen>

lernen
ler·nen [Verb] <lernt, lernte, hat gelernt>

♂ **der** Schüler
Schü·ler [Nomen] <Schüler> ♀ **die** Schülerin
Schü·le·rin <Schülerinnen>

♂ **der** Lehrer
Leh·rer [Nomen] <Lehrer> ♀ **die** Lehrerin
Leh·re·rin <Lehrerinnen>

die Universität
Uni·ver·si·tät [Nomen] <Universitäten>

♂ der Dozent
Do·zent [Nomen] <Dozenten> ♀ die Dozentin
Do·zen·tin <Dozentinnen>

studieren
stu·die·ren [Verb] <studiert, studierte,
hat studiert>

♂ der Student
Stu·dent [Nomen] <Studenten>
♀ die Studentin Stu·den·tin <Studentinnen>

die Frage
Fra·ge Nomen <Fragen>

die Antwort
Ant·wort Nomen <Antworten>

fragen
fra·gen Verb <fragt, fragte, hat gefragt>

antworten
ant·wor·ten Verb <antwortet, antwortete, hat geantwortet>

die Aufgabe
Auf·ga·be Nomen <Aufgaben>

die Lösung
Lö·sung Nomen <Lösungen>

201 + 21 = 222 ✓

201 + 21 = 217 ✗

f̶alsch

richtig
rich·tig [Adjektiv]

falsch
falsch [Adjektiv]

der Fehler
Feh·ler [Nomen] <Fehler>

die Prüfung
Prü·fung [Nomen] <Prüfungen>

der Test
Test [Nomen] <Tests>

ankreuzen
an·kreu·zen [Verb] <kreuzt an, kreuzte an, hat angekreuzt>

Buchstabiere bitte deinen Namen!

L-e-n-a.

buchstabieren
buch·sta·bie·ren Verb <buchstabiert, buchstabierte, hat buchstabiert>

Wort

Das ist ein Satz mit sieben Wörtern.

der **Buchstabe**
Buch·sta·be Nomen <Buchstaben>

das **Wort**
Wort Nomen <Wörter>

der **Satz**
Satz Nomen <Sätze>

der **Text**
Text Nomen <Texte>

schreiben
schrei·ben Verb <schreibt, schrieb, hat geschrieben>

der **Stift**
Stift Nomen <Stifte>

das Papier
Pa·pier [Nomen] <Papiere>

das Buch
Buch [Nomen] <Bücher>

die Brille
Bril·le [Nomen] <Brillen>

lesen
le·sen [Verb] <liest, las, hat gelesen>

interessant
in·te·res·sant [Adjektiv] <interessanter,
am interessantesten>

langweilig
lang·wei·lig [Adjektiv] <langweiliger,
am langweiligsten>

sprechen
spre·chen [Verb] <spricht, sprach, hat
gesprochen>

hören
hö·ren [Verb] <hört, hörte, hat gehört>

sehen
se·hen [Verb] <sieht, sah, hat gesehen>

die Post
Post [Nomen]

die Karte
Kar·te [Nomen] <Karten>

das Fax
Fax [Nomen] <Faxe>

der Brief
Brief [Nomen] <Briefe>

die Briefmarke
Brief·mar·ke [Nomen] <Briefmarken>

S. Peters
Am Fischergries 10b
85570 Markt Schwaben

Leo Weber
Goethestraße 14
50663 Köln

♂ der Absender
Ab·sen·der [Nomen] <Absender>
♀ die Absenderin Ab·sen·de·rin
<Absenderinnen>

♂ der Empfänger
Emp·fän·ger [Nomen] <Empfänger>
♀ die Empfängerin Emp·fän·ge·rin
<Empfängerinnen>

das Telefon
Te·le·fon [Nomen] <Telefone>

telefonieren
te·le·fo·nie·ren [Verb] <telefoniert, telefonierte, hat telefoniert>

das Handy
Han·dy [Nomen] <Handys>

simsen
sim·sen [Verb] <simst, simste, hat gesimst>

die SMS
SMS [Nomen] <SMS>

das Telefonbuch
Te·le·fon·buch Nomen <Telefonbücher>

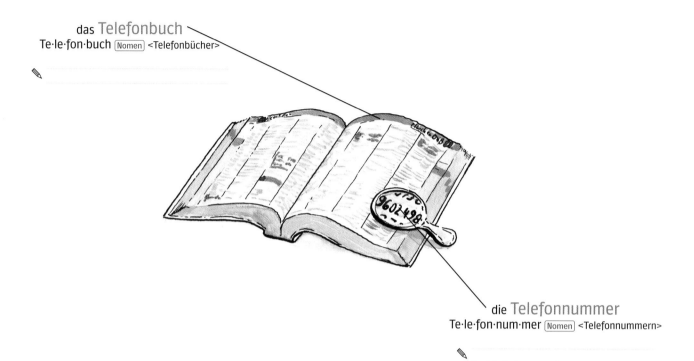

die Telefonnummer
Te·le·fon·num·mer Nomen <Telefonnummern>

das Internet
In·ter·net Nomen

klicken
kli·cken Verb <klickt, klickte, hat geklickt>

die E-Mail
E-Mail Nomen <E-Mails>

der Computer
Com·pu·ter [Nomen] <Computer>

der Bildschirm
Bild·schirm [Nomen] <Bildschirme>

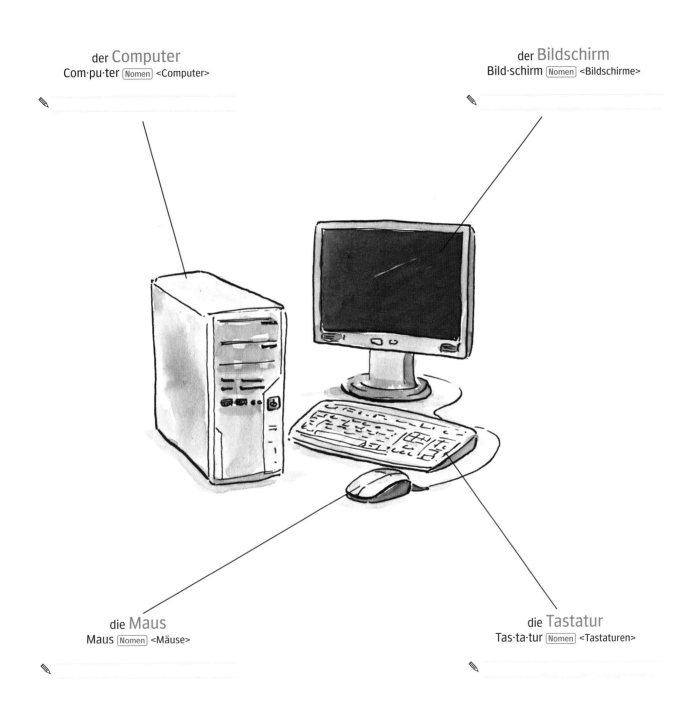

die Maus
Maus [Nomen] <Mäuse>

die Tastatur
Tas·ta·tur [Nomen] <Tastaturen>

der Drucker
Dru·cker [Nomen] <Drucker>

die Zeitung
Zei·tung [Nomen] <Zeitungen>

die Zeitschrift
Zeit·schrift [Nomen] <Zeitschriften>

die Anzeige
An·zei·ge [Nomen] <Anzeigen>

die CD
CD [Nomen] <CDs>

der CD-Player
CD-Play·er [Nomen] <CD-Player>

das Radio
Ra·dio [Nomen] <Radios>

der Fernseher
Fern·se·her [Nomen] <Fernseher>

fernsehen
fern|se·hen [Verb] <sieht fern, sah fern, hat ferngesehen>

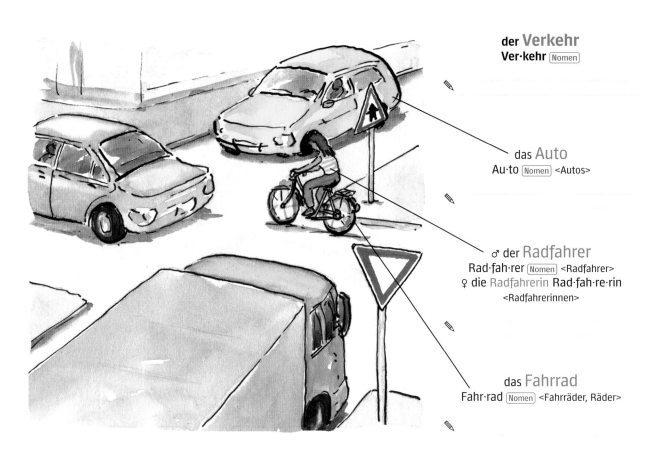

der Verkehr
Ver·kehr [Nomen]

das Auto
Au·to [Nomen] <Autos>

♂ der Radfahrer
Rad·fah·rer [Nomen] <Radfahrer>
♀ die Radfahrerin Rad·fah·re·rin
<Radfahrerinnen>

das Fahrrad
Fahr·rad [Nomen] <Fahrräder, Räder>

fahren
fah·ren [Verb] <fährt, fuhr, ist gefahren>

das Schild
Schild [Nomen] <Schilder>

die Ampel
Am·pel [Nomen] <Ampeln>

die Kreuzung
Kreu·zung [Nomen] <Kreuzungen>

die Straße
Stra·ße [Nomen] <Straßen>

die Autobahn
Au·to·bahn [Nomen] <Autobahnen>

die Brücke
Brü·cke [Nomen] <Brücken>

der Tunnel
Tun·nel [Nomen] <Tunnel>

der Lkw
Lkw [Nomen] <Lkws>

die Tankstelle
Tank·stel·le [Nomen] <Tankstellen>

das Taxi
Ta·xi [Nomen] <Taxis>

die Haltestelle
Hal·te·stel·le [Nomen] <Haltestellen>

der Fahrplan
Fahr·plan [Nomen] <Fahrpläne>

die Fahrkarte
Fahr·kar·te [Nomen] <Fahrkarten>

der Automat
Au·to·mat [Nomen] <Automaten>

der Bus
Bus [Nomen] <Busse>

die S-Bahn
S-Bahn [Nomen] <S-Bahnen>

die U-Bahn
U-Bahn [Nomen] <U-Bahnen>

die Straßenbahn
Stra·ßen·bahn [Nomen] <Straßenbahnen>

einsteigen
ein|stei·gen [Verb] <steigt ein, stieg ein,
ist eingestiegen>

aussteigen
aus|stei·gen [Verb] <steigt aus, stieg aus, ist
ausgestiegen>

der Bahnhof
Bahn·hof [Nomen] <Bahnhöfe>

der Zug
Zug [Nomen] <Züge>

der Bahnsteig
Bahn·steig [Nomen] <Bahnsteige>

die Ankunft
An·kunft [Nomen] <Ankünfte>

das Gleis
Gleis [Nomen] <Gleise>

die Abfahrt
Ab·fahrt [Nomen] <Abfahrten>

die Reise
Rei·se [Nomen] <Reisen>

reisen
rei·sen [Verb] <reist, reiste, ist gereist>

das Ticket
Ti·cket [Nomen] <Tickets>

der Flughafen
Flug·ha·fen [Nomen] <Flughäfen>

das Flugzeug
Flug·zeug [Nomen] <Flugzeuge>

der Abflug
Ab·flug [Nomen] <Abflüge>

fliegen
flie·gen [Verb] <fliegt, flog, ist geflogen>

die Ankunft
An·kunft [Nomen] <Ankünfte>

das Gepäck
Ge·päck Nomen

der Koffer
Kof·fer Nomen <Koffer>

die Tasche
Ta·sche Nomen <Taschen>

der Zoll
Zoll Nomen

der Hafen
Ha·fen Nomen <Häfen>

das Schiff
Schiff Nomen <Schiffe>

ich

ich Pronomen

du

du Pronomen

er

er Pronomen

sie

sie Pronomen

es

es Pronomen

wir

wir Pronomen

ihr

ihr Pronomen

sie

sie Pronomen

Sie

Sie Pronomen

Sie

Sie Pronomen

mein

mein [Artikel]

dein

dein [Artikel]

sein

sein [Artikel]

ihr

ihr [Artikel]

sein
sein Artikel

🖉 _____

unser
un·ser Artikel

🖉 _____

euer
eu·er Artikel

🖉 _____

ihr
ihr [Artikel]

Ihr
Ihr [Artikel]

Ihr
Ihr [Artikel]

neben
ne·ben [Präposition]

an
an [Präposition]

auf
auf [Präposition]

über
über [Präposition]

unter
un·ter [Präposition]

in
in [Präposition]

aus
aus [Präposition]

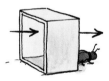

durch
durch [Präposition]

gegen
ge·gen [Präposition]

zwischen
zwi·schen Präposition

✎ _____

um
um Präposition

✎ _____

vor
vor Präposition

✎ _____

nach
nach Präposition

✎ _____

mit
mit Präposition

✎ _____

ohne
oh·ne Präposition

✎ _____

für
für [Präposition]

von
von [Präposition]

ja
ja [Partikel]

nein
nein [Partikel]

breit

breit Adjektiv <breiter, am breitesten>

schmal

schmal Adjektiv <schmaler/schmäler, am schmalsten/schmälsten>

dick

dick Adjektiv <dicker, am dicksten>

dünn

dünn Adjektiv <dünner, am dünnsten>

lang

lang Adjektiv <länger, am längsten>

kurz

kurz Adjektiv <kürzer, am kürzesten>

groß

groß Adjektiv <größer, am größten>

klein

klein Adjektiv <kleiner, am kleinsten>

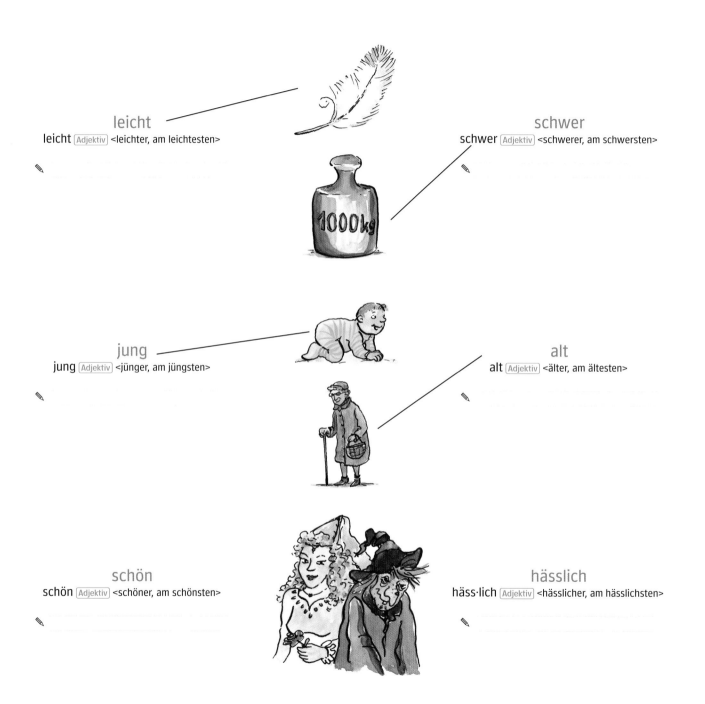

leicht

leicht [Adjektiv] <leichter, am leichtesten>

schwer

schwer [Adjektiv] <schwerer, am schwersten>

jung

jung [Adjektiv] <jünger, am jüngsten>

alt

alt [Adjektiv] <älter, am ältesten>

schön

schön [Adjektiv] <schöner, am schönsten>

hässlich

häss·lich [Adjektiv] <hässlicher, am hässlichsten>

glücklich
glück·lich [Adjektiv] <glücklicher, am glücklichsten>

zufrieden
zu·frie·den [Adjektiv] <zufriedener, am zufriedensten>

unglücklich
un·glück·lich [Adjektiv] <unglücklicher, am unglücklichsten>

reich
reich [Adjektiv] <reicher, am reichsten>

arm
arm [Adjektiv] <ärmer, am ärmsten>

lieb
lieb [Adjektiv] <lieber, am liebsten>

böse
bö·se [Adjektiv] <böser, am bösesten>

lustig
lus·tig [Adjektiv] <lustiger, am lustigsten>

traurig
trau·rig Adjektiv <trauriger, am traurigsten>

wach
wach Adjektiv <wacher, am wachsten>

müde
mü·de Adjektiv <müder, am müdesten>

einfach
ein·fach Adjektiv <einfacher, am einfachsten>

schwer
schwer Adjektiv <schwerer, am schwersten>

verboten
ver·bo·ten Adjektiv

erlaubt
er·laubt Adjektiv

gleich
gleich Adjektiv

anders
an·ders Adjektiv

ganz
ganz [Adjektiv]

✎ _____

kaputt
ka·putt [Adjektiv] <kaputter, am kaputtesten>

✎ _____

hell
hell [Adjektiv] <heller, am hellsten>

✎ _____

dunkel
dun·kel [Adjektiv] <dunkler, am dunkelsten>
<der/die/das dunkle ... >

✎ _____

neu
neu [Adjektiv] <neuer, am neu(e)sten>

✎ _____

alt
alt [Adjektiv] <älter, am ältesten>

✎ _____

leise

lei·se [Adjektiv] <leiser, am leisesten>

laut

laut [Adjektiv] <lauter, am lautesten>

schnell

schnell [Adjektiv] <schneller, am schnellsten>

langsam

lang·sam [Adjektiv] <langsamer, am langsamsten>

stark

stark [Adjektiv] <stärker, am stärksten>

schwach

schwach [Adjektiv] <schwächer, am schwächsten>

hoch
hoch [Adjektiv] <höher, am höchsten>

niedrig
nied·rig [Adjektiv] <niedriger, am niedrigsten>

richtig
rich·tig [Adjektiv] <richtiger, am richtigsten>

falsch
falsch [Adjektiv] <falscher, am falschesten>

gerade
ge·ra·de [Adjektiv] <gerader, am geradesten>

krumm
krumm [Adjektiv] <krummer/krümmer, am
krummsten/krümmsten>

oben
oben Adverb

unten
un·ten Adverb

vorn
vorn Adverb

hinten
hin·ten Adverb

links
links Adverb

rechts
rechts Adverb

geradeaus
ge·ra·de·aus Adverb

vor
vor [Adverb]

zurück
zu·rück [Adverb]

draußen
drau·ßen [Adverb]

drinnen
drin·nen [Adverb]

allein
al·lein [Adverb]

zusammen
zu·sam·men [Adverb]

Entschuldigung!
Ent·schul·di·gung!

Achtung!
Ach·tung!

Hilfe!
Hil·fe!

der Anfang
An·fang [Nomen] <Anfänge>

die Mitte
Mit·te [Nomen] <Mitten>

das Ende
En·de [Nomen] <Enden>

die Zigarette
Zi·ga·ret·te [Nomen] <Zigaretten>

das Feuerzeug
Feu·er·zeug [Nomen] <Feuerzeuge>

das Streichholz
Streich·holz [Nomen] <Streichhölzer>

die Puppe
Pup·pe [Nomen] <Puppen>

der Ring
Ring [Nomen] <Ringe>

der Stock
Stock [Nomen] <Stöcke>

die Kiste
Kis·te [Nomen] <Kisten>

die Schachtel
Schach·tel [Nomen] <Schachteln>

die Platte
Plat·te [Nomen] <Platten>

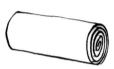

die Rolle
Rol·le [Nomen] <Rollen>

die Ordnung
Ord·nung [Nomen]

die Unordnung
Un·ord·nung [Nomen]

die Leute
Leu·te [Nomen] *Plural*

die Frau
Frau [Nomen] <Frauen>

der Herr

Herr `Nomen` <Herren>

die Frau

Frau `Nomen` <Frauen>

der Mann

Mann `Nomen` <Männer>

der Junge

Jun·ge `Nomen` <Jungen>

das Mädchen

Mäd·chen `Nomen` <Mädchen>

das Baby

Ba·by `Nomen` <Babys>

der/die Erwachsene

Er·wach·se·ne `Nomen` <Erwachsene, die Erwachsenen> *ein Erwachsener/eine Erwachsene*

der/die Jugendliche

Ju·gend·li·che `Nomen` <Jugendliche, die Jugendlichen> *ein Jugendlicher/eine Jugendliche*

das Kind

Kind `Nomen` <Kinder>

anbieten
an|bie·ten [Verb] <bietet an, bot an,
hat angeboten>

anmachen
an|ma·chen [Verb] <macht an, machte an,
hat angemacht>

ausmachen
aus|ma·chen [Verb] <macht aus, machte aus,
hat ausgemacht>

aufmachen
auf|ma·chen [Verb] <macht auf, machte auf,
hat aufgemacht>

zumachen
zu|ma·chen [Verb] <macht zu, machte zu,
hat zugemacht>

bitten
bit·ten [Verb] <bittet, bat, hat gebeten>

geben
ge·ben [Verb] <gibt, gab, hat gegeben>

nehmen
neh·men [Verb] <nimmt, nahm, hat genommen>

drücken
drü·cken [Verb] <drückt, drückte, hat gedrückt>

empfehlen
emp·feh·len [Verb] <empfiehlt, empfahl, hat empfohlen>

sich freuen
sich freu·en [Verb] <freut sich, freute sich, hat sich gefreut>

lachen
la·chen [Verb] <lacht, lachte, hat gelacht>

weinen
wei·nen [Verb] <weint, weinte, hat geweint>

gehen
ge·hen [Verb] <geht, ging, ist gegangen>

laufen
lau·fen [Verb] <läuft, lief, ist gelaufen>

halten
hal·ten [Verb] <hält, hielt, hat gehalten>

loslassen
los|las·sen [Verb] <lässt los, ließ los, hat losgelassen>

hängen
hän·gen [Verb] <hängt, hing, hat gehangen>

holen
ho·len [Verb] <holt, holte, hat geholt>

bringen
brin·gen [Verb] <bringt, brachte, hat gebracht>

klopfen
klop·fen [Verb] <klopft, klopfte, hat geklopft>

kommen
kom·men [Verb] <kommt, kam, ist gekommen>

gehen
ge·hen [Verb] <geht, ging, ist gegangen>

bleiben
blei·ben [Verb] <bleibt, blieb, ist geblieben>

legen
le·gen [Verb] <legt, legte, hat gelegt>

sich hinlegen
sich hin·le·gen [Verb] <legt sich hin, legte sich hin, hat sich hingelegt>

liegen
lie·gen [Verb] <liegt, lag, hat gelegen>

malen
ma·len [Verb] <malt, malte, hat gemalt>

putzen
put·zen [Verb] <putzt, putzte, hat geputzt>

rauchen
rau·chen [Verb] <raucht, rauchte, hat geraucht>

reparieren
re·pa·rie·ren [Verb] <repariert, reparierte, hat repariert>

riechen
rie·chen [Verb] <riecht, roch, hat gerochen>

schmecken
schme·cken [Verb] <schmeckt, schmeckte, hat geschmeckt>

schlafen
schla·fen [Verb] <schläft, schlief, hat geschlafen>

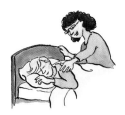

wecken
we·cken [Verb] <weckt, weckte, hat geweckt>

aufwachen
auf|wa·chen [Verb] <wacht auf, wachte auf, ist aufgewacht>

aufstehen
auf|ste·hen [Verb] <steht auf, stand auf, ist aufgestanden>

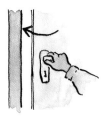

schließen
schlie·ßen [Verb] <schließt, schloss, hat geschlossen>

öffnen
öff·nen [Verb] <öffnet, öffnete, hat geöffnet>

sitzen
sit·zen [Verb] <sitzt, saß, hat gesessen>

aufstehen
auf|ste·hen [Verb] <steht auf, stand auf, ist aufgestanden>

stehen
ste·hen [Verb] <steht, stand, hat gestanden>

stellen
stel·len `Verb` <stellt, stellte, hat gestellt>

schieben
schie·ben `Verb` <schiebt, schob, hat geschoben>

ziehen
zie·hen `Verb` <zieht, zog, hat gezogen>

treffen
tref·fen `Verb` <trifft, traf, hat getroffen>

verlieren
ver·lie·ren `Verb` <verliert, verlor, hat verloren>

fehlen
feh·len `Verb` <fehlt, fehlte, hat gefehlt>

suchen
su·chen `Verb` <sucht, suchte, hat gesucht>

finden
fin·den `Verb` <findet, fand, hat gefunden>

wählen
wäh·len `Verb` <wählt, wählte, hat gewählt>

warten

war·ten [Verb] <wartet, wartete,
hat gewartet>

🖉

wehtun

weh|tun [Verb] <tut weh, tat weh,
hat wehgetan>

🖉

werfen

wer·fen [Verb] <wirft, warf, hat geworfen>

🖉

fangen

fan·gen [Verb] <fängt, fing, hat gefangen>

🖉

zeigen

zei·gen [Verb] <zeigt, zeigte, hat gezeigt>

🖉

Abend 69
- (en) evening, night
- (es) tarde, noche
- (fr) soir
- (it) sera
- (pl) wieczór
- (ru) вечер
- (tr) akşam

Abendessen 17
- (en) dinner, supper
- (es) cenar
- (fr) dîner, souper
- (it) cena
- (pl) kolacja
- (ru) ужин
- (tr) akşam yemeği

abends 69
- (en) in the evening
- (es) por la tarde, por la noche
- (fr) le soir
- (it) di sera
- (pl) wieczorem, wieczorami
- (ru) по вечерам
- (tr) akşamları

Abfahrt 110
- (en) departure
- (es) salida
- (fr) départ
- (it) partenza
- (pl) odjazd
- (ru) отправление
- (tr) kalkış, hareket

Abflug 111
- (en) departure
- (es) salida (del vuelo)
- (fr) départ
- (it) partenza, decollo
- (pl) odlot
- (ru) вылет (самолёта)
- (tr) kalkış

Absender 102
- (en) sender
- (es) remitente
- (fr) expéditeur, expéditrice
- (it) mittente
- (pl) nadawca
- (ru) отправитель
- (tr) gönderen

acht 36
- (en) eight
- (es) ocho
- (fr) huit
- (it) otto

osiem
- (pl) osiem
- (ru) восемь
- (tr) sekiz

achte 42
- (en) eighth
- (es) octavo
- (fr) huitième
- (it) ottavo
- (pl) ósmy
- (ru) восьмой
- (tr) sekizinci

Achtel 41
- (en) eighth
- (es) octavo
- (fr) huitième
- (it) ottavo
- (pl) jedna ósma
- (ru) восьмая часть
- (tr) sekizde bir

acht Uhr 65
- (en) eight o'clock
- (es) las ocho
- (fr) huit heures
- (it) le otto
- (pl) godzina ósma
- (ru) восемь часов
- (tr) saat sekiz

Achtung! 130
- (en) Watch out!, Attention!
- (es) ¡Atención!
- (fr) Attention !
- (it) Attenzione!
- (pl) Uwaga!
- (ru) Внимание!, Осторожно!
- (tr) Dikkat!

achtzehn 37
- (en) eighteen
- (es) dieciocho
- (fr) dix-huit
- (it) diciotto
- (pl) osiemnaście
- (ru) восемнадцать
- (tr) on sekiz

achtzig 38
- (en) eighty
- (es) ochenta
- (fr) quatre-vingts
- (it) ottanta
- (pl) osiemdziesiąt
- (ru) восемьдесят
- (tr) seksen

Adresse 47
- (en) address
- (es) dirección
- (fr) adresse
- (it) indirizzo
- (pl) adres
- (ru) адрес
- (tr) adres

allein 129
- (en) alone, on your own
- (es) solo
- (fr) seul
- (it) (da) solo
- (pl) sam
- (ru) сам, один
- (tr) yalnız

alt 122
- (en) old
- (es) viejo
- (fr) vieux
- (it) vecchio, anziano
- (pl) stary
- (ru) старый, пожилой
- (tr) yaşlı, ihtiyar

alt 125
- (en) old
- (es) viejo, antiguo
- (fr) vieux
- (it) vecchio
- (pl) stary
- (ru) старый
- (tr) eski

Alter 49
- (en) age
- (es) edad
- (fr) âge
- (it) età
- (pl) wiek
- (ru) возраст
- (tr) yaş

Ampel 107
- (en) traffic light
- (es) semáforo
- (fr) feu (de signalisation)
- (it) semaforo
- (pl) światła
- (ru) светофор
- (tr) trafik lambası

an 118
- (en) on
- (es) en, a
- (fr) à
- (it) a
- (pl) na
- (ru) на, по, в

...de, ...da, yanında, kenarında
- (tr) ...de, ...da, yanında, kenarında

Ananas 19
- (en) pineapple
- (es) piña
- (fr) ananas
- (it) ananas
- (pl) ananas
- (ru) ананас
- (tr) ananas

anbieten 134
- (en) offer
- (es) ofrecer
- (fr) proposer
- (it) offrire
- (pl) zaproponować, zaoferować
- (ru) предлагать, угощать
- (tr) sunmak, önermek

anders 124
- (en) different
- (es) diferente
- (fr) différent
- (it) diverso, differente
- (pl) inny
- (ru) иначе, по-другому
- (tr) farklı, başka

Anfang 131
- (en) beginning, start
- (es) comienzo, principio
- (fr) début
- (it) inizio, principio
- (pl) początek
- (ru) начало
- (tr) başlangıç, baş

ankreuzen 99
- (en) mark with a cross
- (es) marcar con una cruz
- (fr) cocher, marquer d'une croix
- (it) segnare con una crocetta
- (pl) zaznaczyć krzyżykiem
- (ru) пометить крестиком
- (tr) işaretlemek

Ankunft 110
- (en) arrival
- (es) llegada
- (fr) arrivée
- (it) arrivo
- (pl) przyjazd
- (ru) прибытие
- (tr) varış

Ankunft 111
- (en) arrival
- (es) llegada
- (fr) arrivée
- (it) arrivo
- (pl) przyjazd
- (ru) прибытие
- (tr) iniş

anmachen 134
- (en) turn on, switch on
- (es) encender
- (fr) allumer
- (it) accendere
- (pl) włączać, włączyć
- (ru) включать, зажигать
- (tr) açmak

Antwort 98
- (en) answer, reply
- (es) contestación, respuesta
- (fr) réponse
- (it) risposta
- (pl) odpowiedź
- (ru) ответ
- (tr) cevap

antworten 98
- (en) answer, reply
- (es) contestar, responder
- (fr) répondre
- (it) rispondere
- (pl) odpowiadać, odpowiedzieć
- (ru) отвечать
- (tr) cevap vermek

Anwalt 56
- (en) lawyer, solicitor, barrister
- (es) abogado, abogada
- (fr) avocat, avocate
- (it) avvocato, avvocatessa
- (pl) adwokat, adwokatka
- (ru) адвокат
- (tr) avukat

Anzeige 106
- (en) advertisement
- (es) anuncio
- (fr) annonce
- (it) annuncio
- (pl) ogłoszenie
- (ru) объявление
- (tr) ilan

Anzug 13
- (en) suit
- (es) traje
- (fr) costume

(it) completo
(pl) garnitur
(ru) костюм
(tr) takım elbise

Apfel 18
(en) apple
(es) manzana
(fr) pomme
(it) mela
(pl) jabłko
(ru) яблоко
(tr) elma

Aprikose 19
(en) apricot
(es) albaricoque
(fr) abricot
(it) albicocca
(pl) morela
(ru) абрикос
(tr) kaysı

April 73
(en) April
(es) abril
(fr) avril
(it) aprile
(pl) kwiecień
(ru) апрель
(tr) Nisan

Arbeit 54
(en) work
(es) trabajo
(fr) travail
(it) lavoro
(pl) praca
(ru) работа
(tr) iş

arbeiten 54
(en) work
(es) trabajar
(fr) travailler
(it) lavorare
(pl) pracować
(ru) работать
(tr) çalışmak

**Arbeiter,
Arbeiterin** 56
(en) worker
(es) trabajador,
trabajadora
(fr) travailleur,
travailleuse, ouvrier,
ouvrière
(it) lavoratore, lavoratrice,
operaio, operaia
(pl) robotnik, pracownik

fizyczny
(ru) рабочий, рабочая
(tr) işçi

arm 123
(en) poor
(es) pobre
(fr) pauvre
(it) povero
(pl) biedny
(ru) бедный
(tr) fakir, yoksul

Arm 8
(en) arm
(es) brazo
(fr) bras
(it) braccio
(pl) ręka
(ru) рука (от кисти до
плеча)
(tr) kol

Arzt, Ärztin 12
(en) doctor, physician
(es) médico
(fr) médecin
(it) medico
(pl) lekarz
(ru) врач
(tr) doktor

Aubergine 19
(en) aubergine
(es) berenjena
(fr) aubergine
(it) melanzana
(pl) bakłażan
(ru) баклажан
(tr) patlıcan

auf 118
(en) onto, on
(es) sobre, en
(fr) sur
(it) su
(pl) na
(ru) на
(tr) üstünde

Aufgabe 98
(en) exercise
(es) ejercicio
(fr) exercice
(it) problema
(pl) zadanie
(arytmetyczne)
(ru) (арифметическая)
задача
(tr) ödev

aufmachen 134
(en) open
(es) abrir
(fr) ouvrir
(it) aprire
(pl) otwierać, otworzyć
(ru) открывать
(tr) açmak

aufstehen 138
(en) get up
(es) levantarse
(fr) se lever
(it) alzarsi
(pl) wstawać, wstać
(ru) вставать
(fr) kalkmak

aufstehen 138
(en) stand up
(es) ponerse de pie
(fr) se lever
(it) alzarsi
(pl) podnosić się, podnieść
się
(ru) подниматься,
вставать
(fr) kalkmak

aufwachen 138
(en) wake up
(es) despertar(se)
(fr) se réveiller
(it) svegliarsi
(pl) obudzić się
(ru) просыпаться
(tr) uyanmak

Auf Wiedersehen! 63
(en) Goodbye!
(es) ¡Adiós!, ¡Hasta la
vista!
(fr) Au revoir!
(it) Arrivederci!
(pl) Do widzenia!, Do
zobaczenia!
(ru) До свидания!
(fr) Hoşçakal!

Auge 9
(en) eye
(es) ojo
(fr) œil
(it) occhio
(pl) oko
(ru) глаз
(tr) göz

August 73
(en) August
(es) agosto

(fr) août
(es) agosto
(pl) sierpień
(ru) август
(tr) Ağustos

aus 118
(en) out of, from
(es) por, de
(fr) par, de
(it) da, di
(pl) z
(ru) из
(tr) ...den, ...dan

ausfüllen 49
(en) fill in
(es) rellenar
(fr) remplir
(it) compilare
(pl) wypełniać, wypełnić
(ru) заполнять
(tr) doldurmak

Ausgang 32
(en) exit
(es) salida
(fr) sortie
(it) uscita
(pl) wyjście
(ru) выход
(tr) çıkış

ausmachen 134
(en) turn off, switch on
(es) apagar
(fr) éteindre
(it) spegnere
(pl) wyłączać, wyłączyć
(ru) выключать
(tr) kapatmak

aussteigen 109
(en) get off/out
(es) bajar
(fr) descendre
(it) scendere
(pl) wysiadać, wysiąść
(ru) выходить
(tr) inmek

Ausweis 50, 87
(en) identity card,
membership card
(es) carnet (de identidad)
(fr) carte d'identité
(it) carta d'identità
(pl) dowód osobisty
(ru) паспорт
(tr) kimlik

ausziehen 31
(en) move out
(es) mudarse
(fr) déménager
(it) andare via, lasciare
l'appartamento
(pl) wyprowadzać się,
wyprowadzić się
(ru) выезжать
(tr) (bir yerden) taşınmak,
evden çıkmak

Auto 107
(en) car
(es) coche
(fr) auto, voiture
(it) macchina
(pl) samochód
(ru) автомобиль
(tr) otomobil, araba

Autobahn 108
(en) motorway
(es) autopista
(fr) autoroute
(it) autostrada
(pl) autostrada
(ru) автострада
(tr) otoban

Automat 109
(en) vending machine,
cash machine
(es) expendedora
automática
(fr) distributeur
(it) distributore
(pl) automat
(ru) автомат
(tr) bankamatik

Baby 133
(en) baby
(es) bebé
(fr) bébé
(it) bebè
(pl) niemowlę
(ru) новорождённый
(tr) bebek

Bach 92
(en) stream, rivulet
(es) arroyo
(fr) ruisseau
(it) ruscello
(pl) strumień
(ru) ручей
(fr) dere, çay

backen 22
en bake
es hornear
fr faire cuire, cuire
it cuocere al forno
pl piec
ru печь, выпекать
tr fırında, pişirmek

Bäcker, Bäckerin 56
en baker
es panadero, panadera
fr boulanger, boulangère
it fornaio, fornaia, panettiere, panettiera
pl piekarz
ru пекарь, булочник
tr pastacı, fırıncı

Bäckerei 45
en baker's (shop)
es panadería
fr boulangerie
it panetteria
pl piekarnia
ru булочная
tr fırın, pastane

Bad 33
en bathroom
es (cuarto de) baño
fr salle de bains
it bagno
pl łazienka
ru ванная (комната)
tr banyo

baden 10
en have/take a bath
es bañarse, darse un baño
fr prendre un bain
it fare il bagno
pl kąpać się, brać kąpiel
ru купать, купаться
tr banyo yapmak

Bahnhof 110
en (railway) station
es estación (de trenes)
fr gare
it stazione
pl dworzec (kolejowy)
ru вокзал
tr istasyon

Bahnsteig 110
en platform
es andén
fr quai
it binario

peron
pl (пассажирская)
ru платформа, перрон
tr peron

Balkon 30
en balcony
es balcón
fr balcon
it balcone
pl balkon
ru балкон
tr balkon

Ball 59
en ball
es pelota
fr bal
it palla
pl piłka
ru мяч
tr top

Banane 18
en banana
es plátano, banana
fr banane
it banana
pl banan
ru банан
tr muz

Bank 34
en bench
es banco
fr banc
it panchina
pl ławka
ru скамья, скамейка, лавка
tr bank

Bank 46
en bank
es banco
fr banque
it banca
pl bank
ru банк
tr banka

Bankleitzahl 46
en sort code (number)
es código de identificación bancaria
fr code banque
it codice banca
pl kod bankowy
ru банковый код
tr banka kodu

Basketball 58
en basketball
es baloncesto
fr basketball
it pallacanestro
pl koszykówka
ru баскетбол
tr basketbol

Bauch 7
en stomach, belly
es tripa, barriga
fr ventre
it pancia
pl brzuch
ru живот
tr karın

Bauer, Bäuerin 56
en farmer
es granjero, granjera, campesino, campesina
fr paysan, paysanne
it contadino, contadina
pl rolnik
ru крестьянин, крестьянка
tr çiftçi, köylü, köylü kadın

Baum 91
en tree
es árbol
fr arbre
it albero
pl drzewo
ru дерево
tr ağaç

Bein 7
en leg
es pierna
fr jambe
it gamba
pl noga
ru нога
tr bacak

Belgien 78
en Belgium
es Bélgica
fr Belgique
it Belgio
pl Belgia
ru Бельгия
tr Belçika

Belgier, Belgierin 78
en Belgian
es belga
fr Belge

belga
pl Belg, Belgijka
ru бельгиец, бельгийка
tr Belçikalı

belgisch 78
en Belgian
es belga
fr belge
it belga
pl belgijski
ru бельгийский
tr Belçika'ya özgü

Berg 91
en mountain
es montaña, pico
fr montagne
it monte
pl góra, wzniesienie
ru гора
tr dağ

Beruf 56
en job, career
es profesión, trabajo
fr profession
it professione, lavoro
pl zawód
ru профессия
tr meslek

Besteck 24
en cutlery
es cubierto
fr couverts
it posate
pl sztućce
ru (столовый) прибор
tr çatal, kaşık, bıçak takımı

bestellen 26
en order
es pedir
fr commander
it ordinare
pl zamawiać, zamówić
ru заказывать
tr sipariş vermek

besuchen 61
en visit, see
es visitar, ir a ver
fr rendre visite à, visiter
it andare a trovare
pl odwiedzać, odwiedzić
ru посещать, навещать
tr ziyaret etmek

Bett 33
en bed
es cama
fr lit
it letto
pl łóżko
ru кровать
tr yatak

Bier 23
en beer
es cerveza
fr bière
it birra
pl piwo
ru пиво
tr bira

Bild 34
en painting, picture
es pintura, cuadro
fr peinture, image
it dipinto, immagine
pl obraz, obrazek
ru картина
tr resim

Bildschirm 105
en monitor, screen
es pantalla, monitor
fr écran
it schermo
pl ekran, monitor
ru экран
tr ekran

billig 44
en cheap
es barato
fr bon marché
it economico
pl tani
ru дешёвый
tr ucuz

Birne 18
en pear
es pera
fr poire
it pera
pl gruszka
ru груша
tr armut

bitte 62
en there you are
es aquí tiene
fr voíla
it ecco
pl proszę

<ru> пожалуйста
<tr> lütfen, buyrun

bitten 134
<en> ask
<es> pedir, solicitar
<fr> demander, prier, convoquer
<it> chiedere, pregare
<pl> prosić, poprosić
<ru> просить, приглашать
<tr> rica etmek

blau 27
<en> blue
<es> azul
<fr> bleu
<it> blu, azzurro
<pl> niebieski
<ru> синий
<tr> mavi

bleiben 136
<en> stay
<es> permanecer, quedar
<fr> rester
<it> rimanere, restare
<pl> zostawać, zostać
<ru> оставаться
<tr> kalmak

Blitz 94
<en> (flash of) lightning
<es> relámpago, rayo
<fr> éclair, foudre
<it> fulmine, lampo
<pl> błyskawica
<ru> молния
<tr> şimşek, yıldırım

Blume 90
<en> flower
<es> flor
<fr> fleur
<it> fiore
<pl> kwiat
<ru> цветок
<tr> çiçek

Bluse 13
<en> blouse
<es> blusa, camisa
<fr> chemisier
<it> camicetta
<pl> bluzka
<ru> блузка, кофточка
<tr> bluz

Blut 11
<en> blood
<es> sangre
<fr> sang
<it> sangue
<pl> krew
<ru> кровь
<tr> kan

Bohne 20
<en> bean
<es> alubia, judía
<fr> haricot
<it> fagiolo
<pl> fasola
<ru> фасоль
<tr> fasülye

böse 123
<en> evil, wicked
<es> malo, malvado
<fr> méchant
<it> cattivo
<pl> zły
<ru> злой
<tr> kötü

braun 27
<en> brown
<es> marrón
<fr> marron
<it> marrone
<pl> brązowy
<ru> коричневый
<tr> kahverengi

breit 121
<en> wide
<es> ancho
<fr> large
<it> largo
<pl> szeroki
<ru> широкий
<tr> geniş

Breite 74
<en> width
<es> anchura
<fr> largeur
<it> larghezza
<pl> szerokość
<ru> ширина
<tr> en, genişlik

Brief 102
<en> letter
<es> carta
<fr> lettre
<it> lettera
<pl> list

Briefmarke 102
<en> stamp
<es> sello
<fr> timbre
<it> francobollo
<pl> znaczek
<ru> почтовая марка
<tr> pul

Brieftasche 45
<en> wallet
<es> cartera, billetero
<fr> portefeuille
<it> portafoglio
<pl> portfel
<ru> бумажник
<tr> cüzdan

Briefträger, Briefträgerin 56
<en> postman, postwoman
<es> cartero
<fr> facteur, factrice
<it> postino, postina, portalettere
<pl> listonosz, listonoszka
<ru> почтальон, почтальонка
<tr> postacı

Brille 101
<en> glasses, spectacles
<es> gafas
<fr> lunettes
<it> occhiali
<pl> okulary
<ru> очки
<tr> gözlük

bringen 136
<en> bring, take
<es> traer, llevar
<fr> apporter
<it> portare
<pl> przynosić, przynieść, odwozić, odwieźć
<ru> приносить, привозить, отвозить
<tr> getirmek, götürmek

Brite, Britin 79
<en> Brit, Briton
<es> británico, británica
<fr> Britanique
<it> britannico, britannica
<pl> Brytyjczyk, Brytyjka

<ru> британец, англичанин, британка, англичанка
<tr> Britanyalı

britisch 79
<en> British
<es> británico
<fr> britanique
<it> britannico
<pl> brytyjski
<ru> британский
<tr> Britanya'ya özgü

Brombeere 19
<en> blackberry
<es> mora
<fr> mûre
<it> mora
<pl> jeżyna
<ru> ежевика
<tr> böğürtlen

Brot 22
<en> bread, loaf
<es> pan
<fr> pain
<it> pane
<pl> chleb
<ru> хлеб
<tr> ekmek

Brötchen 22
<en> roll
<es> panecillo
<fr> petit pain
<it> panino
<pl> bułka
<ru> булочка
<tr> küçük ekmek

Brücke 108
<en> bridge
<es> puente
<fr> pont
<it> ponte
<pl> most
<ru> мост
<tr> köprü

Bruder 52
<en> brother
<es> hermano
<fr> frère
<it> fratello
<pl> brat
<ru> брат
<tr> erkek kardeş

Brust 7
<en> breast, chest
<es> pecho
<fr> sein, poitrine
<it> seno, petto
<pl> pierś
<ru> грудь
<tr> göğüs

Buch 101
<en> book
<es> libro
<fr> livre
<it> libro
<pl> książka
<ru> книга
<tr> kitap

Buchstabe 100
<en> letter
<es> letra
<fr> lettre
<it> lettera
<pl> litera
<ru> буква
<tr> harf

buchstabieren 100
<en> spell
<es> deletrear
<fr> épeler
<it> compitare
<pl> literować, przeliterować
<ru> читать по буквам
<tr> hecelemek

Bulgare, Bulgarin 85
<en> Bulgarian
<es> búlgaro, búlgara
<fr> Bulgare
<it> bulgaro, bulgara
<pl> Bułgar, Bułgarka
<ru> болгарин, болгарка
<tr> Bulgar

Bulgarien 85
<en> Bulgaria
<es> Bulgaria
<fr> Bulgarie
<it> Bulgaria
<pl> Bułgaria
<ru> Болгария
<tr> Bulgaristan

bulgarisch 85
<en> Bulgarian
<es> búlgaro
<fr> bulgare
<it> bulgaro
<pl> bułgarski

болгарский
ⓡ Bulgarca

Büro 54
ⓔ office
ⓔ oficina, despacho
ⓕ bureau
ⓘ ufficio
ⓟ biuro
ⓡ офис
ⓣ büro, ofis

Bus 109
ⓔ bus, coach
ⓔ autobús
ⓕ (auto)bus, (auto)car
ⓘ (auto)bus
ⓟ autobus, autokar
ⓡ автобус
ⓣ otobüs

Butter 17
ⓔ butter
ⓔ mantequilla
ⓕ beurre
ⓘ burro
ⓟ masło
ⓡ масло
ⓣ tereyağı

CD 106
ⓔ CD
ⓔ CD
ⓕ CD
ⓘ CD
ⓟ CD, płyta kompaktowa
ⓡ компактный диск
ⓣ CD

CD-Player 106
ⓔ CD player
ⓔ reproductor de CD
ⓕ lecteur de CD
ⓘ lettore CD
ⓟ odtwarzacz do płyt kompaktowych
ⓡ проигрыватель для компактных дисков
ⓣ CD çalar

Cent 46
ⓔ cent
ⓔ céntimo
ⓕ cent
ⓘ centesimo
ⓟ cent
ⓡ цент
ⓣ sent

Chef, Chefin 55
ⓔ head, boss
ⓔ jefe, jefa
ⓕ patron, patronne, chef
ⓘ capo, direttore, direttrice
ⓟ szef, szefowa
ⓡ шеф
ⓣ patron, şef

Computer 105
ⓔ computer
ⓔ ordenador
ⓕ ordinateur
ⓘ computer
ⓟ komputer
ⓡ компьютер
ⓣ bilgisayar

Cousin 52
ⓔ cousin
ⓔ primo
ⓕ cousin
ⓘ cugino
ⓟ kuzyn
ⓡ двоюродный брат
ⓣ kuzen

Cousine 52
ⓔ cousin
ⓔ prima
ⓕ cousine
ⓘ cugina
ⓟ kuzynka
ⓡ двоюродная сестра
ⓣ kuzen

Creme 10
ⓔ cream
ⓔ crema
ⓕ crème
ⓘ crema, pomata
ⓟ krem
ⓡ крем
ⓣ krem

Dach 30
ⓔ roof
ⓔ tejado
ⓕ toit
ⓘ tetto
ⓟ dach
ⓡ крыша, кровля
ⓣ çatı, dam

Dachboden 30
ⓔ loft, attic
ⓔ ático
ⓕ grenier
ⓘ soffitta
ⓟ poddasze, strych

чердак
ⓣ tavan arası

Däne, Dänin 84
ⓔ Dane
ⓔ danés, danesa
ⓕ Danois, Danoise
ⓘ danese
ⓟ Duńczyk, Dunka
ⓡ датчанин, датчанка
ⓣ Danimarkalı

Dänemark 84
ⓔ Denmark
ⓔ Dinamarca
ⓕ Danemark
ⓘ Danimarca
ⓟ Dania
ⓡ Дания
ⓣ Danimarka

dänisch 84
ⓔ Danish
ⓔ danés
ⓕ danois
ⓘ danese
ⓟ duński
ⓡ датский
ⓣ Danimarkaca

danke 62
ⓔ thank you, thanks
ⓔ gracias
ⓕ merci
ⓘ grazie
ⓟ dziękuję
ⓡ спасибо
ⓣ teşekkür ederim, sağol

danken 62
ⓔ thank
ⓔ agradecer
ⓕ remercier
ⓘ ringraziare
ⓟ dziękować
ⓡ благодарить
ⓣ teşekkür etmek

dein 115
ⓔ your
ⓔ tu
ⓕ ton
ⓘ il tuo
ⓟ twój
ⓡ твой
ⓣ senin

deutsch 77
ⓔ German
ⓔ alemán
ⓕ allemand

ⓘ tedesco
ⓟ niemiecki
ⓡ немецкий
ⓣ Almanca

Deutsche 77
ⓔ German
ⓔ alemán, alemana
ⓕ Allemand, Allemande
ⓘ tedesco, tedesca
ⓟ Niemiec, Niemka
ⓡ немец, немка
ⓣ Alman

Deutschland 77
ⓔ Germany
ⓔ Alemania
ⓕ Allemagne
ⓘ Germania
ⓟ Niemcy
ⓡ Германия
ⓣ Almanya

Dezember 73
ⓔ December
ⓔ diciembre
ⓕ décembre
ⓘ dicembre
ⓟ grudzień
ⓡ декабрь
ⓣ Aralık

dick 121
ⓔ big
ⓔ gordo
ⓕ gros
ⓘ grosso
ⓟ gruby
ⓡ толстый
ⓣ şişman

Dienstag 71
ⓔ Tuesday
ⓔ martes
ⓕ mardi
ⓘ martedì
ⓟ wtorek
ⓡ вторник
ⓣ Salı

Donnerstag 71
ⓔ Thursday
ⓔ jueves
ⓕ jeudi
ⓘ giovedì
ⓟ czwartek
ⓡ четверг
ⓣ Perşembe

Doppelzimmer 29
ⓔ double room
ⓔ habitación doble
ⓕ chambre double
ⓘ camera doppia
ⓟ pokój dwuosobowy
ⓡ двухместный номер
ⓣ iki kişilik oda

Dorf 29
ⓔ village
ⓔ pueblo
ⓕ village
ⓘ villaggio
ⓟ wieś
ⓡ деревня
ⓣ köy

Dozent, Dozentin 97
ⓔ lecturer
ⓔ profesor universitario, profesora universitaria
ⓕ maître de conférences
ⓘ docente
ⓟ wykładowca uniwersytecki
ⓡ доцент
ⓣ doçent

draußen 129
ⓔ outside
ⓔ fuera
ⓕ dehors
ⓘ fuori
ⓟ na zewnątrz
ⓡ на улице, снаружи
ⓣ dışarıda

drei 35
ⓔ three
ⓔ tres
ⓕ trois
ⓘ tre
ⓟ trzy
ⓡ три
ⓣ üç

Dreieck 40
ⓔ triangle
ⓔ triángulo
ⓕ triangle
ⓘ triangolo
ⓟ trójkąt
ⓡ треугольник
ⓣ üçgen

dreißig 37
ⓔ thirty
ⓔ treinta
ⓕ trente
ⓘ trenta

électricien,
électricienne
elettricista
elektryk
электрик
elektrikçi

elf 36
eleven
once
onze
undici
jedenaście
одиннадцать
on bir

elf Uhr 66
eleven o'clock
las once
onze heures
le undici
godzina jedenasta
одиннадцать часов
saat on bir

Ellbogen 8
elbow
codo
coude
gomito
łokieć
локоть
dirsek

Eltern 51
parents
padres
parents
genitori
rodzice
родители
ebeveyn

E-Mail 104
e-mail
correo electrónico
mél, courriel
e-mail
e-mail
електронная почта
e-mail

Empfang 54
reception
recepción
réception
reception
recepcja
приёмная
resepsiyon, danışma,
kabul, giriş

Empfänger,
Empfängerin 102
recipient
destinatario
récepteur, réceptrice
destinatario,
destinataria
adresat, odbiorca
получатель, адресат
alan

empfehlen 135
recommend
recomendar
recommander
raccomandare,
consigliare
polecać, polecić
рекомендовать
tavsiye etmek

Ende 131
end
fin, final
fin
fine
koniec
конец
son

England 79
England
Inglaterra
Angleterre
Inghilterra
Anglia
Англия
İngiltere

Engländer,
Engländerin 79
Englishman,
Englishwoman
inglés, inglesa
Anglais, Anglaise
inglese
Anglik, Angielka
англичанин,
англичанка
İngiliz

englisch 79
English
inglés
anglais
inglese
angielski
английский
İngilizce

Entschuldigung! 130
Sorry!, Excuse me!
¡Disculpe!
Excusez-moi!
Scusi!, Scusa!
Przepraszam!
извините, простите
Özür dilerim!,
Affedersin!

er 113
he, him
él
il, lui
lui
on
он
o (erkek)

Erbse 20
pea
guisante
pois
pisello
groch
горох
bezelye

Erdbeere 19
strawberry
fresa
fraise
fragola
truskawka
клубника
çilek

Erde 89
Earth
Tierra
Terre
Terra
Ziemia
Земля
dünya

Erdgeschoss 30
ground floor, first floor
planta baja
rez-de-chaussée
pianterreno
parter
первый этаж
giriş katı

erlaubt 124
allowed, permitted
permitido
permis
permesso
dozwolony

разрешённый
serbest

erste 42
first
primero
premier
primo
pierwszy
первый
birinci

Erwachsene 133
adult, grown-up
adulto
adulte
adulto
dorosły, dorosła

взрослый, взрослая
yetişkin

Erzieher,
Erzieherin 95
nursery school teacher
maestro/maestra de
un jardín de infancia
educateur, educatrice,
jardinier/jardinière
d'enfants
educatore, educatrice,
maestro/maestra
d'asilo
wychowawca(-czyni)
przedszkolny(-a),
wychowawca(-czyni)
воспитатель(ница)
детского сада,
воспитатель(ница)
pedagog, anaokulu
öğretmeni

es 113
it
lo
il, elle
esso, lui, lei
ono
оно
o (cansızlar için)

Es ist ein Uhr. 67
It is one o'clock.
Es la una.
Il est une heure.
È l'una.
Jest pierwsza.
Час.
Saat bir.

essen 16
eat
comer
manger
mangiare
jeść
есть
yemek

Essig 21
vinegar
vinagre
vinaigre
aceto
ocet
уксус
sirke

Este, Estin 83
Estonian
estonio, estonia
Estonien, Estonienne
estone
Estończyk, Estonka
эстонец, эстонка
Estonyalı

Estland 83
Estonia
Estonia
Estonie
Estonia
Estonia
Эстония
Estonya

estländisch 83
Estonian
estonio
estonien
estone
estoński
эстонский
Estonyaca

euer 116
your
vuestro
votre
il vostro
wasz
ваш
sizin

Euro 46
euro
euro
euro
euro
euro

fünfzig 37
- en) fifty
- es) cincuenta
- fr) cinquante
- it) cinquanta
- pl) pięćdziesiąt
- ru) пятьдесят
- tr) elli

für 120
- en) for
- es) para, por
- fr) pour, à
- it) per
- pl) dla, za
- ru) для, за
- tr) için

Fuß 7
- en) foot
- es) pie
- fr) pied
- it) piede
- pl) stopa
- ru) нога (ступня)
- tr) ayak

Fußball 58
- en) football, soccer
- es) fútbol
- fr) football
- it) calcio
- pl) piłka nożna
- ru) футбол
- tr) futbol

Gabel 24
- en) fork
- es) tenedor
- fr) fourchette
- it) forchetta
- pl) widelec
- ru) вилка
- tr) çatal

ganz 40
- en) whole
- es) todo, entero, completo
- fr) complet
- it) tutto, intero
- pl) cały
- ru) целый
- tr) bütün

ganz 125
- en) whole, in working order, not broken
- es) en buenas condiciones, intacto
- fr) intact
- it) intero, intatto

- pl) cały, nieuszkodzony
- ru) целый
- tr) sağlam

Garage 29
- en) garage
- es) garaje
- fr) garage
- it) garage
- pl) garaż
- ru) гараж
- tr) garaj

Garten 30
- en) garden
- es) jardín
- fr) jardin
- it) giardino
- pl) ogród
- ru) сад
- tr) bahçe

Gärtner, Gärtnerin 56
- en) gardener
- es) jardinero, jardinera
- fr) jardinier, jardinière
- it) giardiniere, giardiniera
- pl) ogrodnik, ogrodniczka
- ru) садовник, садовница
- tr) bahçıvan

Gast 63
- en) guest
- es) invitado, huésped
- fr) invité, invitée
- it) ospite
- pl) gość
- ru) гости
- tr) misafir

geben 134
- en) give
- es) dar
- fr) donner
- it) dare
- pl) dawać, dać
- ru) давать
- tr) vermek

Gebirge 91
- en) mountains
- es) montaña
- fr) montagnes
- it) montagna
- pl) góry
- ru) горы
- tr) sıradağlar

Geburtsdatum 48
- en) date of birth
- es) fecha de nacimiento

- fr) date de naissance
- it) data di nascita
- pl) data urodzenia
- ru) день рождения
- tr) doğum tarihi

Geburtsjahr 48
- en) year of birth
- es) año de nacimiento
- fr) année de naissance
- it) anno di nascita
- pl) rok urodzenia
- ru) год рождения
- tr) doğum yılı

Geburtsort 48
- en) place of birth
- es) lugar de nacimiento
- fr) lieu de naissance
- it) luogo di nascita
- pl) miejsce urodzenia
- ru) место рождения
- tr) doğum yeri

Geburtstag 61
- en) birthday
- es) cumpleaños
- fr) anniversaire
- it) compleanno
- pl) urodziny, dzień urodzin
- ru) день рождения
- tr) doğum günü

Geflügel 22
- en) poultry
- es) carne de pluma
- fr) volaille
- it) pollame
- pl) drób
- ru) домашняя птица
- tr) kümes hayvanları

gegen 118
- en) against
- es) contra
- fr) contre
- it) contro
- pl) w, o
- ru) против
- tr) karşı

gehen 135
- en) go, walk
- es) ir, andar
- fr) aller
- it) andare
- pl) iść, pójść, przejść
- ru) идти
- tr) gitmek

gehen 136
- en) leave
- es) salir
- fr) partir
- it) andare via
- pl) iść, pójść, przejść
- ru) идти
- tr) gitmek

gelb 27
- en) yellow
- es) amarillo
- fr) jaune
- it) giallo
- pl) żółty
- ru) желтый
- tr) sarı

Geld 46
- en) money
- es) dinero
- fr) argent
- it) soldi
- pl) pieniądz(e)
- ru) деньги
- tr) para

Geldbörse 45
- en) purse, wallet
- es) cartera, monedero
- fr) porte-monnaie
- it) portamonete
- pl) portmonetka, portfel
- ru) кошелёк, портмоне
- tr) cüzdan

Gemüse 19
- en) vegetables
- es) verdura
- fr) légumes
- it) verdura
- pl) warzywa
- ru) овощи
- tr) sebze

Gepäck 112
- en) luggage
- es) equipaje
- fr) bagage
- it) bagaglio
- pl) bagaż
- ru) багаж
- tr) bagaj

gerade 127
- en) straight
- es) recto
- fr) droit
- it) dritto
- pl) prosty

- ru) прямой
- tr) doğru, düz

geradeaus 128
- en) straight on/ahead
- es) de frente, recto
- fr) tout droit
- it) dritto
- pl) prosto, na wprost
- ru) прямо
- tr) düz, dosdoğru

Geschäft 43
- en) shop, store
- es) tienda, comercio
- fr) magasin
- it) negozio
- pl) sklep
- ru) магазин
- tr) mağaza

Geschenk 62
- en) present, gift
- es) regalo
- fr) cadeau
- it) regalo
- pl) prezent
- ru) подарок
- tr) hediye

geschieden 50
- en) divorced
- es) divorciado
- fr) divorcé
- it) divorziato
- pl) rozwiedziony
- ru) разведённый
- tr) boşanmış

Geschirr 24
- en) crockery, china
- es) vajilla
- fr) vaisselle
- it) stoviglie
- pl) naczynia
- ru) посуда
- tr) çatal, kaşık, tabak ve tencere gibi mutfak gereçleri

Geschmack 25
- en) flavour
- es) sabor
- fr) goût
- it) sapore
- pl) smak
- ru) вкус
- tr) lezzet, tat

Geschwister 52
- (en) brothers and/or sisters, siblings
- (es) hermanos
- (fr) frères et sœurs
- (it) fratelli, fratello e sorella
- (pl) rodzeństwo
- (ru) брат и сестра
- (tr) kardeşler

Gesicht 9
- (en) face
- (es) cara, rostro
- (fr) visage
- (it) faccia, viso
- (pl) twarz
- (ru) лицо
- (tr) yüz, surat

gestern 68
- (en) yesterday
- (es) ayer
- (fr) hier
- (it) ieri
- (pl) wczoraj
- (ru) вчера
- (tr) dün

gesund 11
- (en) healthy
- (es) sano
- (fr) sain
- (it) sano
- (pl) zdrowy
- (ru) здоровый
- (tr) sağlıklı

geteilt 39
- (en) divided
- (es) divido
- (fr) divisé
- (it) diviso
- (pl) podzielić na/przez
- (ru) разделить на
- (tr) bölü

Getränke 23
- (en) drinks, beverages
- (es) bebidas
- (fr) boissons
- (it) bevande
- (pl) napoje
- (ru) напитки
- (tr) içecek

Gewicht 75
- (en) weight
- (es) peso
- (fr) poids
- (it) peso
- (pl) waga

- (ru) вес
- (tr) ağırlık

Gewitter 94
- (en) thunderstorm
- (es) tormenta
- (fr) orage
- (it) temporale
- (pl) burza
- (ru) гроза
- (tr) gök gürültülü yağış

Glas 24
- (en) glass, jar
- (es) vaso, copa
- (fr) verre
- (it) bicchiere
- (pl) szklanka, słoik
- (ru) стакан
- (tr) bardak

gleich 124
- (en) (the) same
- (es) (el) mismo
- (fr) même
- (it) (lo) stesso
- (pl) ten sam, równy
- (ru) одинаковый, такой же
- (tr) aynı, eşit

Gleis 110
- (en) track, rail
- (es) vía
- (fr) rails
- (it) binario
- (pl) tor
- (ru) путь
- (tr) peron

glücklich 123
- (en) happy
- (es) feliz, con suerte
- (fr) heureux
- (it) felice
- (pl) szczęśliwy
- (ru) счастливый
- (tr) mutlu

Grad Celsius 75
- (en) degree Celsius
- (es) grado centígrado
- (fr) degré Celsius
- (it) grado Celsius
- (pl) stopni Celsjusza
- (ru) градус(ов) Цельсия
- (tr) santigrat derece

Gramm 75
- (en) gram
- (es) gramo
- (fr) gramme

- (it) grammo
- (pl) gram
- (ru) грамм
- (tr) gram

gratulieren 62
- (en) congratulate
- (es) felicitar
- (fr) féliciter
- (it) fare a qn gli auguri
- (pl) gratulować, pogratulować
- (ru) поздравлять кого-л. с чем-л.
- (tr) tebrik etmek

grau 28
- (en) grey
- (es) gris
- (fr) gris
- (it) grigio
- (pl) szary
- (ru) серый
- (tr) gri

Grieche, Griechin 82
- (en) Greek
- (es) griego, griega
- (fr) Grec, Grecque
- (it) greco, greca
- (pl) Grek, Greczynka
- (ru) грек, гречанка
- (tr) Yunan

Griechenland 82
- (en) Greece
- (es) Grecia
- (fr) Grèce
- (it) Grecia
- (pl) Grecja
- (ru) Греция
- (tr) Yunanistan

griechisch 82
- (en) Greek
- (es) griego
- (fr) grec
- (it) greco
- (pl) grecki
- (ru) греческий
- (tr) Yunanca

groß 121
- (en) large, tall, big
- (es) grande, alto
- (fr) grand
- (it) grande, alto
- (pl) duży, wysoki, starszy
- (ru) большой
- (tr) büyük

Großbritannien 79
- (en) Great Britain
- (es) Gran Bretaña
- (fr) Grande-Bretagne
- (it) Gran Bretagna
- (pl) Wielka Brytania
- (ru) Великобритания
- (tr) Büyük Britanya

Großeltern 51
- (en) grandparents
- (es) abuelos
- (fr) grands-parents
- (it) nonni
- (pl) dziadkowie
- (ru) бабушка и дедушка
- (tr) büyük anne/baba

Großmutter 51
- (en) grandmother
- (es) abuela
- (fr) grand-mère
- (it) nonna
- (pl) babka
- (ru) бабушка
- (tr) büyük anne

Großvater 51
- (en) grandfather
- (es) abuelo
- (fr) grand-père
- (it) nonno
- (pl) dziadek
- (ru) дед, дедушка
- (tr) büyük baba

grün 27
- (en) green
- (es) verde
- (fr) vert
- (it) verde
- (pl) zielony
- (ru) зеленый
- (tr) yeşil

grüßen 61
- (en) say hello, greet
- (es) saludar
- (fr) saluer
- (it) salutare
- (pl) pozdrawiać, pozdrowić
- (ru) приветствовать, здороваться
- (tr) selam vermek

Gurke 20
- (en) cucumber
- (es) pepino
- (fr) concombre
- (it) cetriolo
- (pl) ogórek

- (ru) огурец
- (tr) salatalık

Gürtel 15
- (en) belt
- (es) cinturón
- (fr) ceinture
- (it) cintura
- (pl) pasek
- (ru) пояс
- (tr) kemer

Guten Abend! 69
- (en) Good evening!
- (es) ¡Buenas tardes!, ¡Buenas noches!
- (fr) Bonsoir!
- (it) Buona sera!
- (pl) Dobry wieczór!
- (ru) Добрый вечер!
- (tr) İyi akşamlar!

Gute Nacht! 70
- (en) Good night!
- (es) ¡Buenas noches!
- (fr) Bonne nuit!
- (it) Buona notte!
- (pl) Dobranoc!
- (ru) Спокойной ночи!
- (tr) İyi geceler!

Guten Morgen! 69
- (en) Good morning!
- (es) ¡Buenos días!
- (fr) Bonjour!
- (it) Buon giorno!
- (pl) Dzień dobry!
- (ru) Доброе утро!
- (tr) İyi sabahlar!, Günaydın!

Guten Tag! 61
- (en) Hello!
- (es) ¡Buenos días!
- (fr) Bonjour!
- (it) Buon giorno!
- (pl) Dzień dobry!
- (ru) Добрый день!
- (tr) İyi günler!

Guten Tag! 70
- (en) Good afternoon!, Hello!
- (es) ¡Buenos días!
- (fr) Bonjour!
- (it) Buon giorno!
- (pl) Dzień dobry!
- (ru) Добрый день!
- (tr) İyi günler!

(it) punto cardinale
(pl) strona świata
(ru) страна света
(tr) yön

hinten 128
(en) at/on the back
(es) detrás
(fr) derrière
(it) dietro
(pl) z tyłu, w tyle
(ru) сзади, позади
(tr) arkada, geride

hoch 127
(en) tall, high
(es) alto, elevado
(fr) haut
(it) alto
(pl) wysoki
(ru) высокий
(tr) yüksek

Höhe 74
(en) height
(es) altura
(fr) hauteur
(it) altezza
(pl) wysokość
(ru) высота
(tr) yükseklik

holen 136
(en) (go and) get
(es) traer, coger
(fr) aller chercher, sortir
(it) andare a prendere
(pl) przynosić, przynieść, wyjmować, wyjąć
(ru) приносить, взять, достать
(tr) gelip almak

hören 101
(en) hear, listen to
(es) oír, escuchar
(fr) entendre, écouter
(it) ascoltare, sentire
(pl) słyszeć, słuchać
(ru) слышать, слушать
(tr) duymak

Hose 13
(en) trousers, pants
(es) pantalón
(fr) pantalon
(it) pantaloni
(pl) spodnie
(ru) брюки
(tr) pantolon

Hotel 29
(en) hotel
(es) hotel
(fr) hôtel
(it) albergo
(pl) hotel
(ru) гостиница
(tr) otel

Hund 89
(en) dog
(es) perro
(fr) chien
(it) cane
(pl) pies
(ru) собака
(tr) köpek

hundert 38
(en) (a/one) hundred
(es) cien
(fr) cent
(it) cento
(pl) sto
(ru) сто
(tr) yüz

hunderteins 38
(en) one hundred and one
(es) ciento uno
(fr) cent et un
(it) cento e uno
(pl) sto jeden
(ru) сто один
(tr) yüz bir

Hunger 16
(en) hunger
(es) hambre
(fr) faim
(it) fame
(pl) głód
(ru) голод
(tr) aç

ich 113
(en) I, me
(es) yo
(fr) je, moi
(it) io
(pl) ja
(ru) я
(tr) ben

ihr 114
(en) you
(es) vosotros, vosotras
(fr) vous
(it) voi
(pl) wy

вы
(ru) вы
(tr) siz

ihr 115
(en) her, its
(es) su
(fr) son
(it) il suo
(pl) jej
(ru) её
(tr) onun (kız)

ihr 117
(en) their
(es) su
(fr) leur
(it) il loro
(pl) ich
(ru) их
(tr) onların

Ihr 117
(en) your
(es) su
(fr) votre
(it) il Vostro
(pl) pana, pani
(ru) ваш
(tr) sizin (kibarca)

Ihr 117
(en) your
(es) su
(fr) votre
(it) il Suo
(pl) państwa
(ru) ваш
(tr) sizlerin

in 118
(en) into, in
(es) en
(fr) dans, en
(it) in
(pl) do, w
(ru) в, через
(tr) içine, içinde

Insekt 89
(en) insect
(es) insecto
(fr) insecte
(it) insetto
(pl) owad
(ru) насекомое
(tr) böcek

Insel 92
(en) island
(es) isla

île
(fr) île
(it) isola
(pl) wyspa
(ru) остров
(tr) ada

Installateur, Installateurin 57
(en) plumber
(es) instalador, instaladora
(fr) plombier
(it) idraulico
(pl) hydraulik
(ru) водопроводчик
(tr) tesisatçı

interessant 101
(en) interesting
(es) interesante
(fr) intéressant,
(it) interessante
(pl) interesujący, ciekawy
(ru) интересный
(tr) enteresan, ilginç

Internet 104
(en) Internet, (World Wide) Web
(es) internet
(fr) Internet
(it) Internet
(pl) internet
(ru) интернет
(tr) internet

Ire, Irin 80
(en) Irishman, Irishwoman
(es) irlandés, irlandesa
(fr) Irlandais, Irlandaise
(it) irlandese
(pl) Irlandczyk, Irlandka
(ru) ирландец, ирландка
(tr) İrlandalı

irisch 80
(en) Irish
(es) irlandés
(fr) irlandais
(it) irlandese
(pl) irlandzki
(ru) ирландский
(tr) İrlanda'ya özgü

Irland 80
(en) Ireland
(es) Irlanda
(fr) Irlande
(it) Irlanda
(pl) Irlandia
(ru) Ирландия
(tr) İrlanda

Italien 81
(en) Italy
(es) Italia
(fr) Italie
(it) Italia
(pl) Włochy
(ru) Италия
(tr) İtalya

Italiener, Italienerin 81
(en) Italian
(es) italiano, italiana
(fr) Italien, Italienne
(it) italiano, italiana
(pl) Włoch, Włoszka
(ru) итальянец, итальянка
(tr) İtalyan

italienisch 81
(en) Italian
(es) italiano
(fr) italien
(it) italiano
(pl) włoski
(ru) итальянский
(tr) İtalyanca

ja 120
(en) yes
(es) sí
(fr) oui
(it) sì
(pl) tak
(ru) да
(tr) evet

Jacke 14
(en) jacket, cardigan
(es) chaqueta
(fr) veste, blouson
(it) giacca
(pl) kurtka
(ru) куртка
(tr) ceket

Jahr 72
(en) year
(es) año
(fr) année
(it) anno
(pl) rok
(ru) год
(tr) yıl, sene

Jahreszeit 72
(en) season
(es) estación del año
(fr) saison
(it) stagione

(ru) щёлкать
(tr) tıklamak

klopfen 136
(en) knock
(es) llamar
(fr) frapper
(it) bussare
(pl) pukać
(ru) стучать
(tr) çalmak

Knie 7
(en) knee
(es) rodilla
(fr) genou
(it) ginocchio
(pl) kolano
(ru) колено
(tr) diz

kochen 25
(en) cook
(es) cocinar
(fr) faire la cuisine
(it) cucinare
(pl) gotować
(ru) варить, готовить (пищу)
(tr) yemek pişirmek

Koffer 112
(en) suitcase
(es) maleta
(fr) valise
(it) valigia
(pl) walizka
(ru) чемодан
(tr) bavul

Kollege, Kollegin 55
(en) colleague
(es) compañero de trabajo, compañera de trabajo
(fr) collègue
(it) collega
(pl) kolega, koleżanka
(ru) сослуживец
(tr) iş arkadaşı

kommen 136
(en) come, arrive, get
(es) venir, llegar
(fr) venir, arriver
(it) venire, arrivare
(pl) przychodzić, przyjść, przyjechać, dojść, dotrzeć
(ru) идти, приезжать, прийти, попадать
(tr) gelmek

Kontinent 76
(en) continent
(es) continente
(fr) continent
(it) continente
(pl) kontynent
(ru) континент
(tr) kıta

Kontonummer 46
(en) account number
(es) número de cuenta
(fr) numéro de compte
(it) numero del conto
(pl) numer konta
(ru) номер счёта
(tr) hesap numarası

Kopf 7
(en) head
(es) cabeza
(fr) tête
(it) testa
(pl) głowa
(ru) голова
(tr) baş, kafa

Körper 7
(en) body
(es) cuerpo
(fr) corps
(it) corpo
(pl) ciało
(ru) тело
(tr) vücut

kosten 44
(en) cost
(es) costar, valer
(fr) coûter
(it) costare
(pl) kosztować
(ru) стоить
(tr) para etmek

Kostüm 13
(en) suit
(es) traje
(fr) tailleur
(it) tailleur
(pl) kostium
(ru) костюм
(tr) elbise

krank 11
(en) ill, sick
(es) enfermo
(fr) malade
(it) malato
(pl) chory
(ru) больной
(tr) hasta

Krankenhaus 12
(en) hospital
(es) hospital
(fr) hôpital
(it) ospedale
(pl) szpital
(ru) больница
(tr) hastane

Krankenschwester 12
(en) nurse
(es) enfermera
(fr) infirmière
(it) infermiera
(pl) pielęgniarka
(ru) медсестра
(tr) hemşire

Krankenwagen 12
(en) ambulance
(es) ambulancia
(fr) ambulance
(it) ambulanza
(pl) karetka pogotowia (ratunkowego)
(ru) санитарный автомобиль
(tr) ambulans

Krawatte 13
(en) tie
(es) corbata
(fr) cravatte
(it) cravatta
(pl) krawat
(ru) галстук
(tr) kravat

Kreditkarte 46
(en) credit card
(es) tarjeta de crédito
(fr) carte de crédit
(it) carta di credito
(pl) karta kredytowa
(ru) кредитная карта
(tr) kredi kartı

Kreis 40
(en) circle
(es) círculo
(fr) cercle
(it) circolo
(pl) koło
(ru) круг
(tr) daire

Kreuzung 108
(en) crossroads, intersection, junction
(es) cruce
(fr) carrefour

(it) incrocio
(pl) skrzyżowanie
(ru) перекрёсток
(tr) kavşak

krumm 127
(en) bent, not straight
(es) torcido, curvado, arqueado, encorvado
(fr) tordu, crochu, voûté
(it) storto, curvo
(pl) krzywy
(ru) изогнутый, кривой
(tr) bükük, eğri

Küche 25
(en) kitchen
(es) cocina
(fr) cuisine
(it) cucina
(pl) kuchnia
(ru) кухня
(tr) mutfak

Kuchen 22
(en) cake
(es) pastel
(fr) gâteau
(it) torta, dolce
(pl) ciasto
(ru) пирог
(tr) pasta

Kuh 90
(en) cow
(es) vaca
(fr) vache
(it) vacca
(pl) krowa
(ru) корова
(tr) inek

Kunde, Kundin 43
(en) customer
(es) cliente, clienta
(fr) client, cliente
(it) cliente
(pl) klient, klientka
(ru) клиент
(tr) müşteri

kurz 121
(en) short
(es) corto
(fr) court
(it) corto
(pl) krótki
(ru) короткий
(tr) kısa

lachen 135
(en) laugh
(es) reír(se)
(fr) rire
(it) ridere
(pl) śmiać się
(ru) смеяться, хохотать
(tr) gülmek

Lampe 34
(en) light, lamp
(es) lámpara
(fr) lampe
(it) lampada
(pl) lampa
(ru) лампа
(tr) lamba

Land 76
(en) country
(es) país
(fr) pays
(it) paese
(pl) kraj
(ru) страна
(tr) ülke

Landschaft 91
(en) landscape
(es) paisaje
(fr) paysage
(it) paesaggio
(pl) krajobraz
(ru) ландшафт, местность
(tr) manzara

lang 121
(en) long
(es) largo
(fr) long
(it) lungo
(pl) długi
(ru) длинный
(tr) uzun

Länge 74
(en) length
(es) longitud
(fr) longueur
(it) lunghezza
(pl) długość
(ru) длина, протяжение
(tr) uzunluk

langsam 126
(en) slow
(es) lento
(fr) lent
(it) lento
(pl) wolny, powolny

(ru) медленный
(tr) yavaş

langweilig 101
(en) boring
(es) aburrido, pesado
(fr) ennuyeux
(it) noioso, monotono
(pl) nudny
(ru) скучный
(tr) can sıkıcı

Laubbaum 91
(en) deciduous tree
(es) árbol de hoja caduca
(fr) arbre feuillu
(it) latifoglia
(pl) drzewo liściaste
(ru) лиственное дерево
(tr) yapraklı ağaç

laufen 135
(en) run
(es) correr
(fr) courir, aller
(it) correre
(pl) biec, biegnąć
(ru) бегать
(tr) koşmak

laut 126
(en) loud, noisy
(es) alto, ruidoso
(fr) fort, bruyant
(it) forte, ad alto volume, rumoroso
(pl) głośny
(ru) громкий
(tr) yüksek sesli

Lebensmittel 17
(en) food
(es) alimentos
(fr) aliments
(it) alimentari
(pl) produkty spożywcze
(ru) пищевые продукты, продукты питания
(tr) yiyecek

ledig 50
(en) single
(es) soltero
(fr) célibataire
(it) celibe, nubile
(pl) nieżonaty, niezamężna
(ru) холостой/ незамужняя
(tr) bekar

legen 137
(en) lay (down), place, put (down)
(es) poner, dejar, apoyar
(fr) poser
(it) mettere
(pl) kłaść, położyć
(ru) положить, класть
(tr) koymak

Lehrer, Lehrerin 96
(en) teacher
(es) profesor, profesora
(fr) professeur
(it) insegnante
(pl) nauczyciel, nauczycielka
(ru) учитель, учительница
(tr) öğretmen

leicht 122
(en) light, slight
(es) ligero
(fr) léger
(it) leggero
(pl) lekki
(ru) легкий
(tr) hafif

leise 126
(en) quiet, low
(es) bajo, sin hacer ruido
(fr) discret, bas
(it) a basso volume, piano
(pl) cichy, cicho
(ru) тихий
(tr) sessiz, yavaş, hafif

lernen 96
(en) learn, revise
(es) aprender, estudiar
(fr) apprendre, étudier
(it) imparare, studiare
(pl) uczyć się, nauczyć się
(ru) изучать
(tr) öğrenmek

lesen 101
(en) read
(es) leer
(fr) lire
(it) leggere
(pl) czytać
(ru) читать
(tr) okumak

Lette, Lettin 84
(en) Latvian
(es) letón, letona
(fr) Letton, Lettonne

(it) lettone
(pl) Łotysz, Łotyszka
(ru) латыш, латышка
(tr) Letonyalı

lettisch 84
(en) Latvian
(es) letón
(fr) letton
(it) lettone
(pl) łotewski
(ru) латышский
(tr) Letonca

Lettland 84
(en) Latvia
(es) Letonia
(fr) Lettonie
(it) Lettonia
(pl) Łotwa
(ru) Латвия
(tr) Letonya

Leute 132
(en) people
(es) gente, personas
(fr) personnes, gens
(it) persone, gente
(pl) osoby, ludzie
(ru) люди
(tr) insanlar, halk

lieb 123
(en) kind, nice
(es) cariñoso, encantador
(fr) cher, gentil
(it) caro, gentile
(pl) miły, kochany
(ru) любезный, милый
(tr) sevimli, hoş

liegen 137
(en) lie
(es) estar tumbado
(fr) être allongé
(it) essere, giacere
(pl) leżeć
(ru) лежать
(tr) yatmak

lila 28
(en) lilac, mauve, purple
(es) lila
(fr) lilas
(it) lilla
(pl) lila
(ru) лиловый
(tr) mor

Lilie 90
(en) lily
(es) lirio
(fr) lys
(it) giglio
(pl) lilia
(ru) лилия
(tr) zambak

links 128
(en) on the left
(es) por la izquierda, a la izquierda
(fr) à gauche
(it) a sinistra
(pl) na lewo, po lewej stronie
(ru) слева, на левой стороне
(tr) sol

Lippe 9
(en) lip
(es) labio
(fr) lèvre
(it) labbro
(pl) warga, usta
(ru) губа
(tr) dudak

Litauen 83
(en) Lithuania
(es) Lituania
(fr) Lituanie
(it) Lituania
(pl) Litwa
(ru) Литва
(tr) Litvanya

Litauer, Litauerin 83
(en) Lithuanian
(es) lituano, lituana
(fr) Lituanien, Lituanienne
(it) lituano, lituana
(pl) Litwin, Litwinka
(ru) литовец, литовка
(tr) Litvanyalı

litauisch 83
(en) Lithuanian
(es) lituano
(fr) lituanien
(it) lituano
(pl) litewski
(ru) литовский
(tr) Litvanca

Liter 75
(en) litre
(es) litro
(fr) litre

(it) litro
(pl) litr
(ru) литр
(tr) litre

Lkw 108
(en) lorry
(es) camión
(fr) camion, poids lourd
(it) camion, TIR
(pl) ciężarówka, samochód ciężarowy
(ru) грузовой автомобиль
(tr) tır, kamyon

Löffel 25
(en) spoon
(es) cuchara
(fr) cuillère
(it) cucchiaio
(pl) łyżka
(ru) ложка
(tr) kaşık

loslassen 135
(en) let go
(es) soltar
(fr) lâcher
(it) lasciare andare, mollare
(pl) puszczać, puścić
(ru) отпускать
(tr) salmak, bırakmak

Lösung 98
(en) answer, solution
(es) solución, respuesta
(fr) solution
(it) soluzione
(pl) rozwiązanie
(ru) решение
(tr) çözüm

lustig 123
(en) funny
(es) divertido
(fr) drôle
(it) divertente
(pl) wesoły, zabawny
(ru) весёлый, забавный
(tr) keyifli, neşeli

Luxemburg 79
(en) Luxembourg
(es) Luxemburgo
(fr) Luxembourg
(it) Lussemburgo
(pl) Luksemburg
(ru) Люксембург
(tr) Lüksemburg

Luxemburger,
Luxemburgerin 79
- (en) Luxembourger
- (es) luxemburgués,
  luxemburguesa
- (fr) Luxembourgeois,
  Luxembourgeoise
- (it) lussemburghese
- (pl) Luksemburczyk,
  Luksemburka
- (ru) житель
  Люксембурга,
  жительница
  Люксембурга
- (tr) Lüksemburglu

luxemburgisch 79
- (en) Luxemburgish
- (es) luxemburgués
- (fr) luxembourgeois
- (it) lussemburghese
- (pl) luksemburski
- (ru) люксембургский
- (tr) Lüksemburgca

Mädchen 133
- (en) girl
- (es) chica, muchacha
- (fr) fille
- (it) ragazza
- (pl) dziewczynka,
  dziewczyna
- (ru) девочка
- (tr) kız

Mai 73
- (en) May
- (es) mayo
- (fr) mai
- (it) maggio
- (pl) maj
- (ru) май
- (tr) Mayıs

Mais 20
- (en) corn, sweetcorn
- (es) maíz
- (fr) maïs
- (it) mais
- (pl) kukurydza
- (ru) кукуруза
- (fr) mısır

mal 39
- (en) times
- (es) por
- (fr) fois
- (it) per
- (pl) razy
- (ru) -жды, -ю
- (tr) kere

malen 137
- (en) paint
- (es) pintar
- (fr) peindre
- (it) dipingere
- (pl) malować, namalować
- (ru) рисовать
- (tr) boyamak, resim
  yapmak

Maler, Malerin 57
- (en) painter and decorator
- (es) pintor, pintora
- (fr) peintre
- (it) imbianchino,
  imbianchina
- (pl) malarz
- (ru) маляр
- (tr) boyacı

Mama 52
- (en) mummy, mum
- (es) mamá
- (fr) maman
- (it) mamma
- (pl) mama
- (ru) мама
- (tr) anne

Mann 53
- (en) husband
- (es) marido, esposo
- (fr) mari
- (it) marito
- (pl) małżonek, mąż
- (ru) муж
- (tr) koca, evli erkek

Mann 133
- (en) man
- (es) hombre
- (fr) homme
- (it) uomo
- (pl) mężczyzna
- (ru) мужчина
- (tr) erkek

männlich 48
- (en) male
- (es) masculino
- (fr) masculin
- (it) maschile, mascolino
- (pl) męski
- (ru) мужской,
  возмужалый
- (tr) erkek

Mantel 14
- (en) coat
- (es) abrigo
- (fr) manteau
- (it) cappotto
- (pl) płaszcz
- (ru) пальто
- (tr) manto

Markt 45
- (en) market
- (es) mercado
- (fr) marché
- (it) mercato
- (pl) rynek
- (ru) рынок
- (tr) pazar

März 73
- (en) March
- (es) marzo
- (fr) mars
- (it) marzo
- (pl) marzec
- (ru) март
- (tr) Mart

Maß 74
- (en) measure,
  measurement
- (es) medida
- (fr) mesure
- (it) misura
- (pl) miara, wymiary
- (ru) размер, мера
- (tr) ölçü

Maurer, Maurerin 57
- (en) bricklayer
- (es) albañil
- (fr) maçon, maçonne
- (it) muratore, donna
  muratore
- (pl) murarz
- (ru) каменщик
- (tr) duvar ustası

Maus 105
- (en) mouse
- (es) ratón
- (fr) souris
- (it) mouse
- (pl) mysz
- (ru) мышка
- (tr) fare

Mechaniker,
Mechanikerin 57
- (en) mechanic
- (es) mecánico, mecánica
- (fr) mécanicien,
  mécanicienne
- (it) meccanico, donna
  meccanico
- (pl) mechanik

механик
- (ru) механик
- (tr) tamirci

Medikament 11
- (en) medicine, medication,
  drug
- (es) medicina,
  medicamento
- (fr) médicament
- (it) medicamento
- (pl) lek, lekarstwo
- (ru) медикамент,
  лекарство
- (tr) ilaç

Meer 92
- (en) sea
- (es) mar
- (fr) mer
- (it) mare
- (pl) morze
- (ru) море
- (tr) deniz

Mehl 17
- (en) flour
- (es) harina
- (fr) farine
- (it) farina
- (pl) mąka
- (ru) мука
- (tr) un

mein 115
- (en) my
- (es) mi
- (fr) mon
- (it) il mio
- (pl) mój
- (ru) мой
- (tr) benim

messen 74
- (en) measure
- (es) medir
- (fr) mesurer
- (it) misurare
- (pl) mierzyć, zmierzyć,
  wymierzyć
- (ru) измерять
- (tr) ölçmek

Messer 24
- (en) knife
- (es) cuchillo
- (fr) couteau
- (it) coltello
- (pl) nóż
- (ru) нож
- (tr) bıçak

Meter 74
- (en) metre
- (es) metro
- (fr) mètre
- (it) metro
- (pl) metr
- (ru) метр
- (tr) metre

Milch 23
- (en) milk
- (es) leche
- (fr) lait
- (it) latte
- (pl) mleko
- (ru) молоко
- (tr) süt

Milliarde 39
- (en) billion, thousand
  million
- (es) mil millones
- (fr) milliard
- (it) miliardo
- (pl) miliard
- (ru) миллиард
- (tr) milyar

Milliliter 75
- (en) millilitre
- (es) mililitro
- (fr) millilitre
- (it) millilitro
- (pl) mililitr
- (ru) миллилитр
- (tr) mililitre

Million 38
- (en) million
- (es) millón
- (fr) million
- (it) milione
- (pl) milion
- (ru) миллион
- (tr) milyon

minus 39
- (en) minus
- (es) menos
- (fr) moins
- (it) meno
- (pl) minus
- (ru) минус
- (tr) eksi

Minute 64
- (en) minute
- (es) minuto
- (fr) minute
- (it) minuto
- (pl) minuta

(ru) минута
(fr) dakika

mit 119
(en) with
(es) con
(fr) avec
(it) con
(pl) z
(ru) с
(tr) ile, birlikte, beraber

Mittag 69
(en) midday, noon
(es) mediodía
(fr) midi
(it) mezzogiorno
(pl) południe
(ru) обед, полдень
(tr) öğle

Mittagessen 17
(en) lunch
(es) comida, almuerzo
(fr) déjeuner
(it) pranzo
(pl) obiad
(ru) обед
(tr) öğle yemeği

mittags 69
(en) at midday
(es) a(l) mediodía
(fr) à midi
(it) a mezzogiorno
(pl) o dwunastej w południe
(ru) в двенадцать часов по полудню
(tr) öğleleri

Mitte 131
(en) centre, middle
(es) centro, medio
(fr) milieu, centre
(it) mezzo, metà, centro
(pl) środek
(ru) середина, центр
(tr) orta

Mittwoch 71
(en) Wednesday
(es) miércoles
(fr) mercredi
(it) mercoledì
(pl) środa
(ru) среда
(tr) Çarşamba

Möbel 33
(en) furniture
(es) muebles, mobiliario
(fr) meubles
(it) mobili
(pl) mebel, meble
(ru) мебель
(tr) mobilya

Monat 73
(en) month
(es) mes
(fr) mois
(it) mese
(pl) miesiąc
(ru) месяц
(tr) ay

Mond 88
(en) moon
(es) luna
(fr) lune
(it) luna
(pl) księżyc
(ru) луна
(tr) ay

Montag 71
(en) Monday
(es) lunes
(fr) lundi
(it) lunedì
(pl) poniedziałek
(ru) понедельник
(tr) Pazartesi

morgen 68
(en) tomorrow
(es) mañana
(fr) demain
(it) domani
(pl) jutro
(ru) завтра
(tr) yarın

Morgen 69
(en) morning
(es) mañana
(fr) matin
(it) mattino
(pl) (po)ranek
(ru) завтра
(tr) sabah

morgens 69
(en) in the morning
(es) por la mañana
(fr) le matin
(it) di mattina
(pl) rano, rankiem

(ru) по утрам
(tr) sabahları

müde 124
(en) tired
(es) cansado
(fr) fatigué
(it) stanco
(pl) zmęczony
(ru) уставший, утомлённый
(tr) yorgun

Mund 9
(en) mouth
(es) boca
(fr) bouche
(it) bocca
(pl) usta
(ru) рот
(tr) ağız

Museum 60
(en) museum
(es) museo
(fr) musée
(it) museo
(pl) muzeum
(ru) музей
(tr) müze

Mutter 51
(en) mother
(es) madre
(fr) mère
(it) madre
(pl) matka
(ru) мать
(tr) anne

Mütze 14
(en) cap, woollen hat
(es) gorra, gorro
(fr) casquette, bonnet
(it) berretto
(pl) czapka
(ru) шапка
(tr) şapka, bere

nach 119
(en) after
(es) después
(fr) après
(it) dopo
(pl) po
(ru) после
(tr) geçe

Nacht 70
(en) night
(es) noche

(fr) nuit
(it) notte
(pl) noc
(ru) ночь
(tr) gece

nachts 70
(en) at night
(es) por la noche
(fr) la nuit
(it) di notte
(pl) w nocy, nocą
(ru) по ночам
(tr) geceleri

Nadelbaum 91
(en) conifer
(es) conífera
(fr) conifère
(it) conifera
(pl) drzewo iglaste
(ru) хвойное дерево
(tr) iğne yapraklı ağaç

Name 47
(en) name
(es) nombre
(fr) nom
(it) nome
(pl) nazwisko
(ru) имя, фамилия
(tr) isim, ad

Nase 9
(en) nose
(es) nariz
(fr) nez
(it) naso
(pl) nos
(ru) нос
(tr) burun

Nationalität 87
(en) nationality
(es) nacionalidad
(fr) nationalité
(it) nazionalità
(pl) narodowość
(ru) национальность
(tr) vatandaşlık, milliyet

Nebel 93
(en) fog
(es) niebla
(fr) brouillard
(it) nebbia
(pl) mgła
(ru) туман
(tr) sis

neben 118
(en) next to
(es) al lado de
(fr) près de
(it) accanto a, vicino a
(pl) przy
(ru) рядом с
(tr) yanında

nehmen 134
(en) take
(es) tomar, coger
(fr) prendre
(it) prendere
(pl) brać, wziąć
(ru) брать
(tr) almak

nein 120
(en) no
(es) no
(fr) non
(it) no
(pl) nie
(ru) нет
(tr) hayır

neu 125
(en) new
(es) nuevo
(fr) nouveau
(it) nuovo
(pl) nowy
(ru) новый
(tr) yeni

neun 36
(en) nine
(es) nueve
(fr) neuf
(it) nove
(pl) dziewięć
(ru) девять
(tr) dokuz

neunte 42
(en) ninth
(es) noveno
(fr) neuvième
(it) nono
(pl) dziewiąty
(ru) девятый
(tr) dokuzuncu

Neuntel 41
(en) ninth
(es) noveno
(fr) neuvième
(it) nono
(pl) jedna dziewiąta

(ru)	девятая часть
(tr)	dokuzda bir

neun Uhr 66
- (en) nine o'clock
- (es) las nueve
- (fr) neuf heures
- (it) le nove
- (pl) godzina dziewiąta
- (ru) девять часов
- (tr) saat dokuz

neunzehn 37
- (en) nineteen
- (es) diecinueve
- (fr) dix-neuf
- (it) diciannove
- (pl) dziewiętnaście
- (ru) девятнадцать
- (tr) on dokuz

neunzig 38
- (en) ninety
- (es) noventa
- (fr) quatre-vingt-dix
- (it) novanta
- (pl) dziewięćdziesiąt
- (ru) девяносто
- (tr) doksan

Niederlande 78
- (en) the Netherlands
- (es) los Países Bajos
- (fr) les Pays-Bas
- (it) i Paesi Bassi
- (pl) Niderlandy
- (ru) Нидерланды
- (tr) Hollanda

Niederländer, Niederländerin 78
- (en) Dutchman, Dutchwoman
- (es) holandés, holandesa
- (fr) Hollandais, Hollandaise
- (it) olandese
- (pl) Niderlandczyk, Niderlandka
- (ru) нидерландец, нидерладка
- (tr) Hollandalı

niederländisch 78
- (en) Dutch
- (es) holandés
- (fr) hollandais
- (it) olandese
- (pl) niderlandzki
- (ru) нидерландский
- (tr) Hollandaca

niedrig 127
- (en) low
- (es) bajo
- (fr) bas
- (it) basso
- (pl) niski
- (ru) низкий
- (tr) alçak, basık

Norden 88
- (en) north
- (es) norte
- (fr) nord
- (it) nord
- (pl) północ
- (ru) север
- (tr) kuzey

November 73
- (en) November
- (es) noviembre
- (fr) novembre
- (it) novembre
- (pl) listopad
- (ru) ноябрь
- (tr) Kasım

Nudeln 21
- (en) noodles, pasta
- (es) pasta
- (fr) pâtes
- (it) pasta
- (pl) makaron
- (ru) вермишель
- (tr) makarna

null 35
- (en) zero, nought, nil
- (es) cero
- (fr) zéro
- (it) zero
- (pl) zero
- (ru) нуль/ноль
- (tr) sıfır

Nummer 47
- (en) number
- (es) número
- (fr) numéro
- (it) numero
- (pl) numer
- (ru) номер
- (tr) numara

Nuss 21
- (en) nut
- (es) nvez
- (fr) noix
- (it) noce
- (pl) orzech

opex
- (ru) opex
- (tr) ceviz

oben 128
- (en) up, at/on the top
- (es) arriba
- (fr) en haut
- (it) in alto, su
- (pl) na górze, u góry
- (ru) вверху, сверху
- (tr) yukarda, yukarıda, üstte

Obst 18
- (en) fruit
- (es) fruta
- (fr) fruits
- (it) frutta
- (pl) owoce
- (ru) фрукты
- (tr) meyva, yemiş

Ofen 26
- (en) oven
- (es) horno
- (fr) four
- (it) forno
- (pl) piekarnik
- (ru) печь, печка
- (tr) fırın

öffnen 138
- (en) open
- (es) abrir
- (fr) ouvrir
- (it) aprire
- (pl) otwierać, otworzyć
- (ru) открывать
- (tr) açmak

ohne 119
- (en) without
- (es) sin
- (fr) sans
- (it) senza
- (pl) bez
- (ru) без
- (tr) ...siz, ...sız, ...meden, ...madan

Ohr 9
- (en) ear
- (es) oído, oreja
- (fr) oreille
- (it) orecchio
- (pl) ucho
- (ru) ухо
- (tr) kulak

Oktober 73
- (en) October
- (es) octubre
- (fr) octobre
- (it) ottobre
- (pl) październik
- (ru) октябрь
- (tr) Ekim

Öl 21
- (en) oil
- (es) aceite
- (fr) huile
- (it) olio
- (pl) olej
- (ru) растительное масло
- (tr) sıvı yağ

Onkel 52
- (en) uncle
- (es) tío
- (fr) oncle
- (it) zio
- (pl) wuj, wujek
- (ru) дядя
- (tr) amca, dayı

orange 28
- (en) orange
- (es) naranja
- (fr) orange
- (it) arancione
- (pl) pomarańczowy
- (ru) оранжевый
- (tr) portakal rengi, turuncu

Orange 18
- (en) orange
- (es) naranja
- (fr) orange
- (it) arancia
- (pl) pomarańcza
- (ru) апельсин
- (tr) portakal

Ordnung 132
- (en) order, tidiness
- (es) orden
- (fr) ordre
- (it) ordine
- (pl) porządek
- (ru) порядок
- (tr) düzen, tertip

Ort 47
- (en) place, town
- (es) lugar
- (fr) localité, lieu
- (it) località
- (pl) miejscowość

(ru)	населённый пункт
(tr)	yer

Osten 88
- (en) east
- (es) este
- (fr) est
- (it) est
- (pl) wschód
- (ru) восток
- (tr) doğu

Österreich 77
- (en) Austria
- (es) Austria
- (fr) Autriche
- (it) Austria
- (pl) Austria
- (ru) Австрия
- (tr) Avusturya

Österreicher, Österreicherin 77
- (en) Austrian
- (es) austríaco, austríaca
- (fr) Autrichien, Autrichienne
- (it) austriaco, austriaca
- (pl) Austriak, Austriaczka
- (ru) австриец, австрийка
- (tr) Avusturyalı

österreichisch 77
- (en) Austrian
- (es) austríaco
- (fr) autrichien
- (it) austriaco
- (pl) austriacki
- (ru) австрийский
- (tr) Avusturya'ya özgü

Papa 52
- (en) daddy, dad
- (es) papá
- (fr) papa
- (it) papà
- (pl) tata
- (ru) папа
- (tr) baba

Papier 101
- (en) paper
- (es) papel
- (fr) papier
- (it) carta
- (pl) papier
- (ru) бумага
- (tr) kağıt

Schrank 33
- (en) cupboard, wardrobe
- (es) armario
- (fr) armoire
- (it) armadio
- (pl) szafa
- (ru) шкаф
- (tr) dolap

schreiben 100
- (en) write
- (es) escribir
- (fr) écrire
- (it) scrivere
- (pl) pisać, zapisywać, zapisać
- (ru) писать
- (tr) yazmak

Schreibtisch 54
- (en) desk
- (es) escritorio
- (fr) bureau
- (it) scrivania
- (pl) biurko
- (ru) письменный стол
- (tr) yazı masası

Schuh 15
- (en) shoe
- (es) zapato
- (fr) chaussure
- (it) scarpa
- (pl) but
- (ru) ботинок, туфля
- (tr) ayakkabı

Schule 96
- (en) school
- (es) colegio, escuela
- (fr) école, cours
- (it) scuola
- (pl) szkoła
- (ru) школа
- (tr) okul

Schüler, Schülerin 96
- (en) pupil, student
- (es) alumno, alumna
- (fr) écolier, écolière
- (it) aliunno, alunná
- (pl) uczeń, uczennica
- (ru) школьний, школьница
- (tr) öğrenci

Schulter 8
- (en) shoulder
- (es) hombro
- (fr) épaule
- (it) spalla

ramię
- (pl) ramię
- (ru) плечо
- (tr) omuz

schwach 126
- (en) weak
- (es) débil
- (fr) faible
- (it) debole
- (pl) słaby
- (ru) слабый
- (tr) zayıf

schwarz 28
- (en) black
- (es) negro
- (fr) noir
- (it) nero
- (pl) czarny
- (ru) черный
- (tr) siyah

Schwede, Schwedin 85
- (en) Swede
- (es) sueco, sueca
- (fr) Suédois, Suédoise
- (it) svedese
- (pl) Szwed, Szwedka
- (ru) швед, шведка
- (tr) İsveçli

Schweden 85
- (en) Sweden
- (es) Suecia
- (fr) Suède
- (it) Svezia
- (pl) Szwecja
- (ru) Швеция
- (tr) İsveç

schwedisch 85
- (en) Swedish
- (es) sueco
- (fr) suédois
- (it) svedese
- (pl) szwedzki
- (ru) шведский
- (tr) İsveççe

Schwein 90
- (en) pig
- (es) cerdo
- (fr) cochon
- (it) maiale
- (pl) świnia
- (ru) свинья
- (tr) domuz

Schweiz 78
- (en) Switzerland
- (es) Suiza
- (fr) Suisse
- (it) Svizzera
- (pl) Szwajcaria
- (ru) Швейцария
- (tr) İsviçre

Schweizer, Schweizerin 78
- (en) Swiss
- (es) suizo, suiza
- (fr) Suisse
- (it) svizzero, svizzera
- (pl) Szwajcar, Szwajcarka
- (ru) швейцарец, швейцарка
- (tr) İsviçreli

Schweizer 78
- (en) Swiss
- (es) suizo
- (fr) suisse
- (it) svizzero
- (pl) szwajcarski
- (ru) швейцарский
- (tr) İsviçreli

schwer 122
- (en) heavy
- (es) pesado
- (fr) lourd
- (it) pesante
- (pl) ciężki
- (ru) тяжёлый
- (tr) ağır

schwer 124
- (en) hard, difficult
- (es) difícil
- (fr) difficile
- (it) difficile
- (pl) ciężki
- (ru) тяжёлый
- (tr) zor

Schwester 52
- (en) sister
- (es) hermana
- (fr) soeur
- (it) sorella
- (pl) siostra
- (ru) сестра
- (tr) kız kardeş

Schwimmbad 60
- (en) swimming pool, swimming baths
- (es) piscina
- (fr) piscine
- (it) piscina
- (pl) pływalnia, basen
- (ru) бассейн
- (tr) yüzme havuzu

schwimmen 59
- (en) swim
- (es) nadar
- (fr) nager
- (it) nuotare
- (pl) pływać, płynąć
- (ru) плавать
- (tr) yüzmek

sechs 35
- (en) six
- (es) seis
- (fr) six
- (it) sei
- (pl) sześć
- (ru) шесть
- (tr) altı

sechste 42
- (en) sixth
- (es) sexto
- (fr) sixième
- (it) sesto
- (pl) szósty
- (ru) шестой
- (tr) altıncı

Sechstel 41
- (en) sixth
- (es) sexto
- (fr) sixième
- (it) sesto
- (pl) jedna ósma
- (ru) шестая часть
- (tr) altıda bir

sechs Uhr 65
- (en) six o'clock
- (es) las seis
- (fr) six heures
- (it) le sei
- (pl) godzina szósta
- (ru) шесть часов
- (tr) saat altı

sechs Uhr abends 66
- (en) six p. m.
- (es) las seis de la tarde
- (fr) six heures de l'après-midi
- (it) le sei di sera
- (pl) szósta wieczorem
- (ru) шесть часов вечера
- (tr) saat akşam altı

sechzehn 36
- (en) sixteen
- (es) dieciséis
- (fr) seize
- (it) sedici
- (pl) szesnaście
- (ru) шестнадцать
- (tr) on altı

sechzig 37
- (en) sixty
- (es) sesenta
- (fr) soixante
- (it) sessanta
- (pl) sześćdziesiąt
- (ru) шестьдесят
- (tr) altmış

See 91
- (en) lake
- (es) lago
- (fr) lac
- (it) lago
- (pl) jezioro
- (ru) озеро
- (tr) göl

sehen 101
- (en) see, look
- (es) ver, mirar
- (fr) voir, regarder
- (it) vedere, guardare
- (pl) widzieć, patrzeć, wyglądać, wyjrzeć
- (ru) смотреть, видеть
- (tr) görmek

Seife 10
- (en) soap
- (es) jabón
- (fr) savon
- (it) sapone
- (pl) mydło
- (ru) мыло
- (tr) sabun

sein 115
- (en) his, its
- (es) su
- (fr) son
- (it) il suo
- (pl) jego
- (ru) ero
- (tr) onun (erkek)

sein 116
- (en) its
- (es) su
- (fr) son
- (it) il suo
- (pl) jego

Sohn 51
- en) son
- es) hijo
- fr) fils
- it) figlio
- pl) syn
- ru) сын
- tr) oğul

Sommer 72
- en) summer
- es) verano
- fr) été
- it) estate
- pl) lato
- ru) лето
- tr) yaz

Sonne 93
- en) sun
- es) sol
- fr) soleil
- it) sole
- pl) słońce
- ru) солнце
- tr) güneş

Sonntag 71
- en) Sunday
- es) domingo
- fr) dimanche
- it) domenica
- pl) niedziela
- ru) воскресенье
- tr) Pazar

Spanien 81
- en) Spain
- es) España
- fr) Espagne
- it) Spagna
- pl) Hiszpania
- ru) Испания
- tr) İspanya

Spanier, Spanierin 81
- en) Spaniard
- es) español, española
- fr) Espagnol, Espagnole
- it) spagnolo, spagnola
- pl) Hiszpan, Hiszpanka
- ru) испанец, испанка
- tr) İspanyol

spanisch 81
- en) Spanish
- es) español
- fr) espagnol
- it) spagnolo
- pl) hiszpański

Sport 58
- en) sport
- es) deporte
- fr) sport

- ru) испанский
- tr) İspanyolca

spät 64
- en) late
- es) tarde
- fr) tard
- it) tardi
- pl) późno, późny
- ru) поздно, поздний
- tr) geç

Spaziergang 60
- en) walk, stroll
- es) paseo
- fr) promenade
- it) passeggiata
- pl) spacer
- ru) прогулка
- tr) gezinti, yürüyüş

Speisekarte 26
- en) menu
- es) menú, carta
- fr) carte, menu
- it) menu
- pl) jadłospis, menu
- ru) меню
- tr) menü, yemek listesi

spielen 95
- en) play
- es) jugar
- fr) jouer
- it) giocare
- pl) bawić się, grać
- ru) играть
- tr) oynamak

Spielzeug 95
- en) toy, toys
- es) juguete
- fr) jouet, jouets
- it) giocattolo, giocattoli
- pl) zabawka
- ru) игрушка
- tr) oyuncak

Spinat 20
- en) spinach
- es) espinaca
- fr) épinard
- it) spinacio
- pl) szpinak
- ru) шпинат
- tr) ıspanak

Sport 58
- en) sport
- es) sport
- fr) sport

- it) sport
- pl) sport
- ru) спорт
- tr) spor

Sporthalle 60
- en) sports hall
- es) gimnasio, pabellón de deportes
- fr) gymnase, salle de sport
- it) palestra
- pl) sala gimnastyczna, hala sportowa
- ru) спортзал, спортивный зал
- tr) spor salonu

Sportplatz 60
- en) sports field
- es) campo de deportes
- fr) terrain de sport
- it) campo sportivo
- pl) boisko (sportowe)
- ru) спортивная площадка
- tr) spor sahası

sprechen 101
- en) speak, talk
- es) hablar
- fr) parler
- it) parlare
- pl) mówić
- ru) говорить
- tr) konuşmak

Stadt 29
- en) town, city
- es) ciudad
- fr) ville
- it) città
- pl) miasto
- ru) город
- tr) şehir

stark 126
- en) strong
- es) fuerte
- fr) fort
- it) forte
- pl) silny
- ru) сильный
- tr) güçlü

stehen 138
- en) stand
- es) estar de pie
- fr) être debout
- it) stare (in piedi)
- pl) stać

- ru) стоять
- tr) ayakta durmak

stellen 139
- en) put, place
- es) poner, colocar
- fr) poser, mettre
- it) mettere
- pl) stawiać, postawić, wstawiać, wstawić
- ru) ставить
- tr) koymak

Stern 89
- en) star
- es) estrella
- fr) étoile
- it) stella
- pl) gwiazda
- ru) звезда
- tr) yıldız

Stiefel 15
- en) boot
- es) bota
- fr) botte
- it) stivale
- pl) but z cholewką
- ru) сапог
- tr) çizme

Stift 100
- en) pen, pencil
- es) lápiz
- fr) crayon
- it) matita
- pl) pisak
- ru) карандаш
- tr) kalem

Stock 131
- en) stick, cane
- es) palo, bastón
- fr) bâton, canne
- it) bastone
- pl) kij, laska
- ru) палка
- tr) çubuk, deynek

Straße 47
- en) street
- es) calle
- fr) rue, route
- it) strada, via
- pl) ulica
- ru) улица
- tr) cadde, sokak

Straße 108
- en) street, road
- es) carretera

- fr) rue, route
- it) strada, via
- pl) ulica, droga
- ru) улица
- tr) yol, cadde

Straßenbahn 109
- en) tram
- es) tranvía
- fr) tramway
- it) tram
- pl) tramwaj
- ru) трамвай
- tr) tramvay

Strauch 90
- en) shrub, bush
- es) arbusto
- fr) arbuste
- it) arbusto
- pl) krzew
- ru) куст
- tr) çalı

Streichholz 131
- en) match
- es) cerilla
- fr) allumette
- it) fiammifero
- pl) zapałka
- ru) спички
- tr) kibrit

Strumpf 15
- en) sock, stocking
- es) media
- fr) collant
- it) calza
- pl) pończocha
- ru) чулок
- tr) çorap

Student, Studentin 97
- en) (university) student
- es) estudiante
- fr) étudiant, étudiante
- it) studente, studentessa
- pl) student, studentka
- ru) студент
- tr) üniversite öğrencisi

studieren 97
- en) study, be a student
- es) estudiar
- fr) étudier
- it) studiare
- pl) studiować
- ru) изучать
- tr) üniversitede okumak

vier Uhr 65
- (en) four o'clock
- (es) las cuatro
- (fr) quatre heures
- (it) le quattro
- (pl) godzina czwarta
- (ru) четыре часа
- (tr) saat dört

vierzehn 36
- (en) fourteen
- (es) catorce
- (fr) quatorze
- (it) quattordici
- (pl) czternaście
- (ru) четырнадцать
- (tr) on dört

vierzig 37
- (en) forty
- (es) cuarenta
- (fr) quarante
- (it) quaranta
- (pl) czterdzieści
- (ru) сорок
- (tr) kırk

Visum 87
- (en) visa
- (es) visado
- (fr) visa
- (it) visto
- (pl) wiza
- (ru) виза
- (tr) vize

Vogel 89
- (en) bird
- (es) pájaro, ave
- (fr) oiseau
- (it) uccello
- (pl) ptak
- (ru) птица
- (tr) kuş

Volleyball 59
- (en) volleyball
- (es) voleibol
- (fr) volleyball
- (it) pallavolo
- (pl) siatkówka
- (ru) волейбол
- (tr) voleybol

von 120
- (en) from, of, by
- (es) de
- (fr) de
- (it) di, da
- (pl) z, od
- (ru) с, передаётся

родительным падежом (указывая на принадлежность)
- (tr) ...den, ...dan, ...in, ...in, tarafından

vor 119
- (en) before, to
- (es) menos
- (fr) devant
- (it) meno
- (pl) przed
- (ru) перед
- (tr) kala

vor 129
- (en) forwards
- (es) hacia delante
- (fr) en avant
- (it) avanti
- (pl) w przód, do przodu
- (ru) вперёд
- (tr) öne, ileri

vorgestern 68
- (en) the day before yesterday
- (es) anteayer
- (fr) avant-hier
- (it) l'altrieri, ieri l'altro
- (pl) przedwczoraj
- (ru) позавчера
- (tr) önceki gün

vorn 128
- (en) at/on the front
- (es) delante
- (fr) devant
- (it) davanti
- (pl) z przodu, na przodzie
- (ru) впереди
- (tr) önde

Vorname 47
- (en) first/Christian name
- (es) nombre (de pila)
- (fr) prénom
- (it) nome
- (pl) imię
- (ru) имя
- (tr) isim

wach 124
- (en) awake
- (es) despierto
- (fr) éveillé
- (it) sveglio
- (pl) rozbudzony
- (ru) бодрый
- (tr) uyanık

wählen 139
- (en) choose
- (es) elegir
- (fr) choisir
- (it) scegliere
- (pl) wybierać, wybrać
- (ru) выбирать
- (tr) seçmek

Wald 92
- (en) wood(s), forest
- (es) bosque
- (fr) forêt
- (it) bosco
- (pl) las
- (ru) лес
- (tr) orman

wandern 60
- (en) hike
- (es) hacer senderismo
- (fr) faire de la randonnée
- (it) fare una camminata
- (pl) wędrować
- (ru) путешествовать (пешком)
- (tr) gezinti, yürüyüş

warten 140
- (en) wait
- (es) esperar
- (fr) attendre
- (it) aspettare
- (pl) czekać
- (ru) ждать, подождать
- (tr) beklemek

wecken 138
- (en) wake
- (es) despertar
- (fr) réveiller
- (it) svegliare
- (pl) budzić, obudzić
- (ru) будить
- (tr) uyandırmak

wehtun 140
- (en) hurt
- (es) doler
- (fr) faire mal
- (it) fare male
- (pl) boleć
- (ru) болеть
- (tr) ağrımak, acımak

weiblich 48
- (en) female
- (es) femenino
- (fr) féminine
- (it) femminile
- (pl) żeński, kobiecy

женский, женского рода
- (ru)
- (tr) dişi

Wein 23
- (en) wine
- (es) vino
- (fr) vin
- (it) vino
- (pl) wino
- (ru) вино
- (tr) şarap

weinen 135
- (en) cry
- (es) llorar
- (fr) pleurer
- (it) piangere
- (pl) płakać, opłakiwać
- (ru) плакать
- (tr) ağlamak

weiß 28
- (en) white
- (es) blanco
- (fr) blanc, blanche
- (it) bianco
- (pl) biały
- (ru) белый
- (tr) beyaz

werfen 140
- (en) throw, fling
- (es) echar, tirar, lanzar
- (fr) lancer
- (it) lanciare
- (pl) rzucać, rzucić
- (ru) бросать
- (tr) atmak, fırlatmak

Werktag 71
- (en) workday
- (es) día laborable
- (fr) jour ouvrable
- (it) giorno feriale
- (pl) dzień roboczy
- (ru) рабочий день
- (tr) işgünü

Weste 14
- (en) waistcoat, vest
- (es) chaleco
- (fr) gilet
- (it) gilè
- (pl) kamizelka
- (ru) жилет
- (tr) yelek

Westen 88
- (en) west
- (es) oeste

- (fr) ouest
- (it) ovest
- (pl) zachód
- (ru) запад
- (tr) batı

Wetter 93
- (en) weather
- (es) tiempo
- (fr) temps
- (it) tempo
- (pl) pogoda
- (ru) погода
- (tr) hava durumu

Wiese 92
- (en) meadow
- (es) pradera
- (fr) airie
- (it) prato
- (pl) łąka
- (ru) луг
- (tr) çayır

Wie spät ist es? 67
- (en) What time is it?
- (es) ¿Qué hora es?
- (fr) Quelle heure est-il ?
- (it) Che ora è?, Che ore sono?
- (pl) Która jest godzina?
- (ru) Который час?
- (tr) Saat kaç?

Wind 94
- (en) wind
- (es) viento, aire
- (fr) vent
- (it) vento
- (pl) wiatr
- (ru) ветер
- (tr) rüzgar, yel

Winter 72
- (en) winter
- (es) invierno
- (fr) hiver
- (it) inverno
- (pl) zima
- (ru) зима
- (tr) kış

wir 113
- (en) we
- (es) nosotros, nosotras
- (fr) nous
- (it) noi
- (pl) my
- (ru) мы
- (tr) biz

(ru) поезд
(tr) tren

zumachen 134
(en) close
(es) cerrar
(fr) fermer
(it) chiudere
(pl) zamykać, zamknąć
(ru) закрывать
(tr) kapatmak

Zunge 9
(en) tongue
(es) lengua
(fr) langue
(it) lingua
(pl) język
(ru) язык
(tr) dil

zurück 129
(en) backwards
(es) de vuelta, hacia atrás
(fr) en arrière, de retour
(it) indietro
(pl) z powrotem
(ru) назад, вернуться
(tr) geri

zusammen 129
(en) together
(es) juntos
(fr) ensemble
(it) insieme
(pl) razem
(ru) вместе
(tr) beraber

zwanzig 37
(en) twenty
(es) veinte
(fr) vingt
(it) venti
(pl) dwadzieścia
(ru) двадцать
(tr) yirmi

zwei 35
(en) two
(es) dos
(fr) deux
(it) due
(pl) dwa
(ru) два
(tr) iki

zweihundert 38
(en) two hundred
(es) doscientos
(fr) deux cents

(it) duecento
(pl) dwieście
(ru) двести
(tr) iki yüz

zweite 42
(en) second
(es) segundo
(fr) second(e), deuxième
(it) secondo
(pl) drugi
(ru) второй
(tr) ikinci

zwei Uhr 65
(en) two o'clock
(es) las dos
(fr) deux heures
(it) le due
(pl) godzina druga
(ru) два часа
(tr) saat iki

zwei Uhr morgens 66
(en) two a. m.
(es) las dos de la madrugada
(fr) deux heures du matin
(it) le due del mattino
(pl) druga rano
(ru) два часа ночи
(tr) saat sabah iki

zwei Uhr nachmittags 66
(en) two p. m.
(es) las dos de la tarde
(fr) deux heures de l'après-midi
(it) le due del pomeriggio
(pl) druga po południu
(ru) два часа пополудни
(tr) saat öğleden sonra iki

Zwiebel 21
(en) onion
(es) cebolla
(fr) oignon
(it) cipolla
(pl) cebula
(ru) лук
(tr) soğan

zwischen 119
(en) between
(es) entre
(fr) entre
(it) in mezzo a
(pl) między
(ru) между
(tr) arasında

zwölf 36
(en) twelve
(es) doce
(fr) douze
(it) dodici
(pl) dwanaście
(ru) двенадцать
(tr) on iki

zwölf Uhr 66
(en) twelve o'clock
(es) las doce
(fr) midi, minuit
(it) le dodici
(pl) dwunasta
(ru) двенадцать часов
(tr) saat on iki

zwölf Uhr mittags 66
(en) midday, noon
(es) mediodía
(fr) midi
(it) mezzogiorno
(pl) dwunasta w południe
(ru) двенадцать часов дня
(tr) saat öğle on iki

zwölf Uhr nachts 66
(en) midnight
(es) medianoche
(fr) minuit
(it) mezzanotte
(pl) dwunasta w nocy
(ru) двенадцать часов ночи
(tr) saat gece on iki